Может ли гендер меняться?

Prod No.	99105
Date	15.04.19
Supplier	DZS Grafik doo

T.P.S	229mm x 152mm portrait
Extent	144pp in 4/4 (CMYK)
Papers INT	120gsm GalerieArt Natural Woodfree
Cover	4/1 (outter PMS 806 C Pink (NEON), 2035 C Red, spot black, Reflex Blue C / inner PMS Reflex Blue U) + varnish on 300gsm C1S matt lam + spot UV on front cover, 140mm flap back cover only
Finishing Binding	Limp bound, section sewn in 16pp, square back, front cover cut flush, back cover flap flush with book block, cover drawn on with extended back flap folded in.

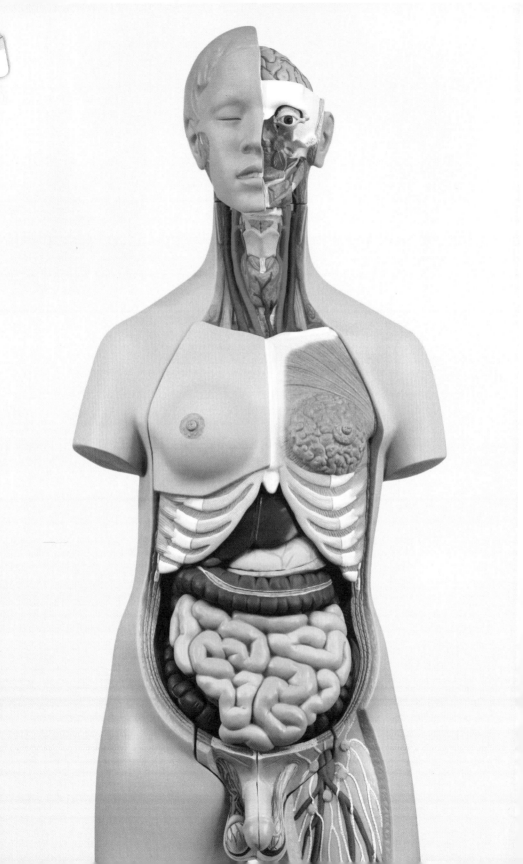

The Big Idea

Салли Хайнс

Может ли гендер меняться?

Введение в XXI век

Более 160 иллюстраций

Редактор серии:
Мэтью Тейлор

WE DON'T
CARE

Введение

А

Эта книга раскрывает значение гендера по мере рассмотрения его разных определений и гендерных практик. Что такое гендер? Как скоро станет ясно, этот вопрос остается открытым. Термин «пол» в этой книге преимущественно отсылает к биологическим характеристикам, в то время как «гендер» связывается с культурой и обществом.

Связь между полом и гендером настолько сложна, что существуют диаметрально противоположные подходы к определению гендера.

Одни полагают, что гендер производен от биологических, репродуктивных характеристик пола — то есть физиологические, гормональные и хромосомные различия позволяют провести четкую грань между мужчинами и женщинами. Другие рассматривают гендер как проявление социальных норм, то есть как сочетание поведенческих привычек, ролей и ожиданий, свидетельствующих о различиях между женщинами и мужчинами в конкретном обществе. Многие понимают гендер как совокупность биологических и социальных аспектов. Более того, сегодня всё больше людей склонны оспаривать врожденность гендера и указывать на широкое разнообразие его проявлений.

Работы таких ученых, как Энн Фаусто-Стерлинг (род. 1944) и Корделии Файн (род. 1975) доказывают, что некоторые физические и физиологические различия между полами далеко не так однозначны, как принято думать. Все эти подходы демонстрируют, что гендер понимается как изменчивый и податливый, иными словами, гендер может быть текучим.

Понятие о текучем гендере предполагает, что гендер не устанавливается раз и навсегда биологией, а меняется в зависимости от социальных, культурных и индивидуальных факторов.

A   Реклама в журнале *Nestlé* 1960-х годов изображает традиционные гендерные роли в нуклеарной семье.

B   Транс-женщины позируют в гостиничном номере в Сан-Франциско, Калифорния, 1981 г. Несмотря на растущее признание трансгендеров, Американская психиатрическая ассоциация в 1980 году определяла их как лиц, страдающих «расстройством гендерной идентичности».

B

A

Для простоты понимания можно представить гендер в качестве комбинации трех составляющих. Тело, или физическая составляющая, охватывает телесную реальность каждого человека, ощущения людьми своего тела и взаимодействия с другими людьми, основанные на телесном восприятии. Физическая составляющая гендера связана с **гендерной идентичностью** и **гендерным проявлением**. Гендерная идентичность человека может оставаться неизменной, а может меняться со временем; может совпадать или не совпадать с приобретенным при рождении полом; может соответствовать или противоречить гендерному проявлению.

Гендерная идентичность — это личное внутреннее ощущение принадлежности к женскому или мужскому полу, к комбинации полов или ни к одному из них. Это базисная составляющая мироощущения человека.

Гендерное проявление — это способ того, как человек представляет свой гендер окружающему миру, и того, как окружающий мир взаимодействует с гендером и формирует его. Гендерное проявление связано с гендерными ролями и тем, как общество обеспечивает соответствие этим ролям.

Гендерфлюид (от англ. fluid — текучий, подвижный) — человек, который переживает свою гендерную идентичность как меняющуюся с течением времени или в зависимости от обстоятельств и не связывает себя с каким-то одним гендером.

Гендерфлакс (от англ. flux — поток) — человек, который переживает гендерную идентичность более или менее интенсивно в разные моменты времени.

Небинарной называется любая гендерная идентичность или гендерное проявление, не ограниченные категориями мужского и женского.

В последние годы понятия «гендерфлюид» и «гендер-флакс» постепенно укореняются в общественном сознании. Все больше людей склоняется к идее небинарной гендерной системы, а гендерно вариативные люди получают всё больше понимания в обществе. Для описания опытов и идентичностей, не ограничивающихся традиционными бинарными определениями мужчины и женщины, используются термины «гендерквир» или «агендер». Многие люди идентифицируют себя с помощью категорий мужского и женского, другие утверждают, что их гендерная идентичность меняется с течением времени.

Гендерно вариативная (англ. gender-diverse) личность не подчиняется социальным нормам и ценностям, когда речь идет о гендерной телесности, гендерной идентичности, гендерном проявлении, а также о сочетании этих факторов. Эта категория охватывает широкое разнообразие людей, практик и опытов.

Гендерквир, как и понятие небинарного гендера, описывает личность, чья гендерная идентичность не вписывается в рамки социальных норм о мужском и женском, но находится между ними или за пределами этой бинарности.

Агендерные люди относят себя к числу тех, у кого нет никакого гендера, или воспринимают свой гендер как отсутствующий или нейтральный.

Гендер проникает повсюду. Он структурирует наши жизни, оказывая колоссальное влияние на все наши действия, будь то занятия, которыми мы наслаждаемся, и поведение, которое мы демонстрируем в детстве, специальности, которые мы выбираем в юности, профессии, которые мы осваиваем, и обязательства, которые мы берем на себя в зрелом возрасте. Однако мы до конца не осознаем степень этого влияния.

A   Пехотный батальон «Каракаль» — одно из трех боевых подразделений Армии обороны Израиля, в котором служат и мужчины, и женщины.

B   Число мужчин-акушеров в сиднейской больнице Вестмид в Австралии постепенно растет, однако их всё еще значительно меньше, чем женщин, — в 2017 году на 327 акушерок приходилось 5 акушеров.

A

Инклюзивное письмо — во французском языке способ нейтрализовать гендернообусловленные правила грамматики путем использования множественного числа для обоих родов в случае смешанных групп. Например, группу избирателей обоих полов вместо electeurs (с фр. «избиратели») называют électeur.rice.s («избиратель_ницы»).

Телесность (англ. embodiment) — опыт жизни в собственном теле. Это то, как человек ощущает свое тело в контексте социальных ожиданий и как общественные нормы влияют на тело человека.

Несмотря на то что гендер имеет ключевое влияние на нашу идентичность, интимные отношения, повседневный опыт, социальное положение и культурные установки, его воздействие часто остается незамеченным. Гендер формирует нашу жизнь не только в качестве внешнего фактора, но и как внутреннее ощущение наших возможностей и возможностей других людей. По-новому определить гендер означает по-новому посмотреть на себя, на других людей и на животных, а в некоторых языках и культурах — и на тривиальные предметы и слова, описывающие их. Например, во французском языке род прилагательного зависит от существительного, к которому оно относится в тексте, а для обозначения группы людей, включающей как минимум одного мужчину, используется мужской род, даже если все остальные люди в этой группе женщины. Подобные противоречия привели к появлению отстаиваемого активистками инклюзивного письма, указывающего на оба грамматических рода при описании смешанных групп.

Определения гендера и гендерные практики всегда вызывали разногласия.

Гендерный опыт повседневной жизни зависит от широкого разнообразия исторических, социальных и культурных обстоятельств. «Типичные» признаки мужественности и женственности постоянно менялись, а то, что считается привычным для мужчины или женщины в одной стране, может оказаться неприемлемым в другой.

Сравните типичные или приемлемые нормы поведения женщин в Британии в XXI веке с теми же нормами в XVIII веке или с нормами поведения женщин в Саудовской Аравии. Даже внутри одного общества отдельные группы могут по-разному смотреть на гендерные нормы и ценности. На их точку зрения влияют раса, класс, сексуальность и телесность. Наше социальное положение, определяемое разными системами координат и в разных властных иерархиях, прежде всего зависит от гендера.

A На иллюстрации под названием «Художник-макарони, или Билли Димпл позирует для портрета» (1772) из каталога «Социальные карикатуры XVIII века», одетый по щегольской моде того времени художник пишет портрет денди в схожем наряде, что высмеивает распространенную тогда вычурную манеру одеваться. Наряды макарони считались женственными.

B Эстампы, иллюстрирующие парижскую мужскую моду XVIII века из коллекции мужского костюма 1790–1829-х годов Музея Метрополитен; по изображениям понятно, что мужчины в те времена носили корсеты.

Интерсекциональная теория, у истоков которой стоит феминистка Кимберли Креншоу (род. 1959), рассматривает пересекающиеся системы угнетения, показывая, как гендер связан с другими структурными позициями — например, расой и социальным классом. Так, история женского рабочего класса демонстрирует, что гендерные роли строятся под влиянием представлений и опыта соответствующего социального класса. Схожим образом сочетание категорий гендера и расы может влиять на дискриминацию по одному или по обоим признакам.

Интерсекциональный подход учитывает, что общественные ожидания от женщин, мужчин или небинарных личностей, их возможности, а также понимание взаимосвязей между этими категориями определяет культура. Именно культура задает направление гендерных отношений, которые, в свою очередь, служат основой для организации общества, формируя ключевые аспекты жизни человека.

Но культура находится в постоянном развитии.

Многообразие взглядов на вопросы гендера отражает многообразие общественных, культурных, политических, экономических, правовых и религиозных укладов в мире. Гендерные роли конструируются с учетом огромного числа факторов.

A

A Традиционно мужской труд востребован в тяжелой промышленности — в том числе на сталелитейном заводе Скиннингрув, который работал до 1971 года. В 1970—1980-е годы при правительстве консерваторов во главе с Маргарет Тэтчер многие металлургические и угольные заводы в Британии были закрыты.

B Плакаты времен Китайской культурной революции 1970-х, призывающие изменить взгляды на женский труд. Мао Цзэдун хотел, чтобы промышленный потенциал Китая догнал и перегнал Запад.

Например, в докоммунистическом Китае роль женщины сводилась преимущественно к ведению домашнего хозяйства и «украшению» общества. Коммунистическая партия, напротив, пропагандировала гендерное равенство и даже выступила с лозунгом «женщины держат на плечах полнеба» в ООН в 2011 году. Положение девочек и женщин в крупных китайских городах действительно улучшилось: им стали доступны высшее образование и рабочие места. Но в сельских районах по-прежнему наблюдается высокий уровень женской безграмотности и большое количество ранних договорных браков. Иными словами, понятия «гендер» и «гендерные практики» значительно различаются не только в историческом и культурном аспектах, но могут варьироваться в рамках одной страны и одного временного периода.

Интерсекциональность изучает то, каким образом социальные категории расы, класса, гендера, сексуальности, телесности и физических возможностей пересекаются в системах угнетения и дискриминации. Согласно этому подходу, случаи дискриминации по одному или нескольким из этих признаков следует рассматривать во взаимосвязи.

Организация Объединенных Наций была основана в 1945 году для международного сотрудничества по поддержанию мира и обеспечению фундаментальных прав и свобод человека. В настоящее время в ООН входит 193 государства.

Помимо связи с другими культурными и структурными факторами, понятие гендера переплетается с системой патриархата. Термин «патриархат» приобрел новое значение усилиями феминистских исследовательниц — таких, как Сильвия Уолби (род. 1953). В своей работе «Теория патриархата» («Theorizing Patriarchy»; 1990) она показывает, как мужчины эксплуатируют женщин. Рассматривая проблему социологически, Уолби выделяет шесть признаков патриархата: 1) государственное устройство: у женщин меньше формальной власти, они плохо представлены в правительстве; 2) домашнее хозяйство: женщины чаще выполняют домашнюю работу и отвечают за воспитание детей; 3) насилие: женщины более уязвимы перед насилием; 4) оплата труда: женщины часто получают меньше мужчин; 5) сексуальность: общество чаще порицает женскую сексуальность; 6) культура: образ женщины в массовой культуре и медиа чаще искажается. Уолби отмечает, что эти элементы мужского доминирования проявляются «в разных формах, в разных культурах и в разных временных периодах».

В этой книге мы подробно рассмотрим существующие точки зрения на гендер, его различные определения и степень его изменчивости, его текучий характер.

*Надписи на плакатах:
«Если муж узнает, что ты не проверяешь свежесть кофейных зерен при покупке»;
«Если жена узнает, что ты не проверяешь свежесть кофейных зерен при покупке»;
«Неужели открыть сможет даже женщина?»;
«Неужели открыть сможет даже мужчина?»*

A/B «В параллельной вселенной» Илая Резкалла — это серия вымышленных изображений, основанных на настоящей рекламе 1950–1960-х годов. Поменяв местами мужские и женские роли, фотограф в юмористической манере подчеркивает проблему современного сексизма.

На эту работу Резкалла вдохновил «услышанный им разговор его дяди о том, что женщины лучше готовят и хозяйничают на кухне, а также лучше справляются со "своими женскими обязанностями"».

A

You mean a <u>woman</u> can open it?

You mean a <u>man</u> can open it?

Патриархатом изначально называлось общественное устройство, в котором вся власть принадлежала мужчинам, имущество наследовалось по мужской линии, а старший мужчина в семье считался ее главой. Сейчас этот термин используется для обозначения такой социальной системы, в которой мужчины наделены большей властью, чем женщины.

Агентность — способность человека или группы людей действовать независимо или делать самостоятельный выбор; это способность поступать определенным образом и действовать согласно своему выбору.

В главе 1 изучается восприятие гендера как социального проявления биологического пола в истории разных культур. В главе 2 гендер рассматривается как социальный конструкт и анализируется влияние, которое социальные изменения оказывают на гендерные проявления. Глава 3 посвящена разнообразию гендерных практик внутри и вне бинарных категорий мужского и женского, что позволит убедиться в изменчивой природе гендера.

Мы сосредоточим внимание на гендере как социальной структуре, которой могут быть свойственны неравенство и ограничение возможностей, а также отдельно поговорим о гендерной агентности.

В главе 4 рассматривается, как люди оспаривают сложившиеся гендерные нормы. Это глава о том, как мы индивидуально и коллективно противостоим доминирующим гендерным процессам для создания альтернативных способов осмысления и проживания гендера.

1. Гендер как проявление биологического пола

A

Эссенциализм — подход, базирующийся на убеждении, что каждая вещь имеет ряд определяющих ее характеристик — «сущность», — которая является основой ее идентичности и функционирования.

Половой диморфизм — это различия в характеристиках самцов и самок одного и того же вида, включающие не только половые органы, но и размеры, цвет, структуру тел и вторичные половые признаки.

Социобиология стремится объяснить социальное поведение животных и людей при помощи биологии и теории эволюции. Социобиологи полагают, что внутри каждого вида социальные нормы, как и физические черты, эволюционировали путем естественного отбора.

Начать стоит с исследования предполагаемой связи гендера с биологическим полом, поскольку последний существенно влияет на то, как понимают и принимают гендер.

Эссенциалистским направлением в гендерных исследованиях называют школу мысли, утверждающую, что гендерные различия возникают из-за врожденной разницы между женской и мужской анатомией. Кроме того, с точки зрения биологического эссенциализма, мужчины и женщины, помимо ряда физических различий, обладают определенным набором хромосом и гормонов, который диктует распределение их социальных ролей, «присущих» либо мужчинам, либо женщинам.

Утверждается, что женщины инстинктивно более эмоциональны и склонны к заботе, а мужчины по природе лучшие добытчики и защитники.

По версии доктора Леонарда Сакса, одного из сторонников эссенциализма, половой диморфизм мужчин и женщин — явление абсолютное. То есть все возможные различия в мужском и женском поведении объясняются биологией и отражают аналогичные черты в поведении других видов животных. Эту теорию поддерживают многие социобиологи, в том числе Джереми Черфас (род. 1951). Среди прочего они полагают, что мужчины по натуре склонны к беспорядочным связям, поскольку располагают почти неисчерпаемым запасом спермы, в то время как женщины — к моногамии из-за ограниченного количества яйцеклеток и, соответственно, ограниченных шансов передать свои гены следующему поколению, в связи с чем женщины вынуждены более тщательно выбирать партнеров. Кроме того, трудности и риски деторождения, включая девять месяцев беременности, потенциально смертельно опасные роды, а также бремя воспитания детей полностью ложатся на женщину. Как Черфас написал в 2008 году: «Учитывая биологическую "дешевизну" спермы, самцы склонны к промискуитету; поскольку спаривание так мало стоит для них, они всегда находятся в поиске новых сексуальных связей».

A   Конкурс красоты «Мисс Америка» был основан в 1921 году и проводится по сей день. Изначально конкурсанток судили по внешности, но позже к критериям оценки добавили «собеседование» и соревнования талантов. На фото — молодые участницы конкурса в вечерних платьях после коронации победительницы.

B   Пляж бодибилдеров (Muscle Beach) был основан в 1933 году в Санта-Монике, Калифорния, и вызвал смешанную реакцию из-за открытой демонстрации физической силы. Несколько победителей конкурса «Мистер Америка» тренировались на этом пляже вместе с тяжелоатлетами в 1950-е и 1960-е годы.

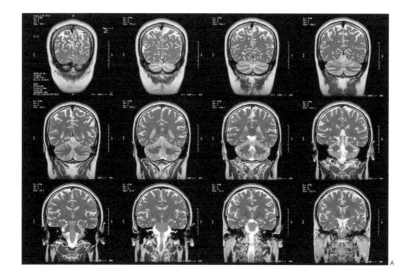

Существуют теории, что биология влияет не только на различия в сексуальном поведении, но и на психологию романтических отношений. Социобиолог Дональд Саймонс (род. 1942) в 2009 году так описал этот подход: «Поскольку самки человека, как и большинства других видов животных, вносят относительно больший вклад в рождение и воспитание потомства, чем самцы, они по-другому оценивают роль секса и деторождения». Саймонс предлагает то, что можно назвать нормативным взглядом на сексуальные и романтические отношения между мужчинами и женщинами: «Женщинам следует быть более разборчивыми и осторожными, поскольку они больше страдают от последствий неправильного выбора. Мужчинам же стоит быть менее разборчивыми, более напористыми и стремиться к большему разнообразию связей, поскольку для них риски минимальны». Заметьте, что в этом объяснении биология предстает не только причиной того, как всё устроено, но и того, как всё должно быть.

В эссенциалистских теориях связь между гендерной телесностью и гендернообусловленным поведением часто сводится к гормональным и нейрологическим различиям между мужчинами и женщинами. Но не все ученые согласны с этим.

A/B МРТ-снимки здорового мужского (сверху) и женского (справа) мозга. На первом снимке полушария головного мозга отмечены красным, мозжечок голубым, ствол мозга зеленым, а ткани шеи коричневым цветом. На фото женского мозга полушария головного мозга — желтые и красные, мозжечок розовый, а ткани шеи синего цвета. Различия между мужским и женским мозгом могут усиливать разницу в характерных признаках и поведении. Однако мнения на счет последствий этих различий расходятся.

В своей книге «Тестостерон Рекс. Мифы и правда о гендерном сознании» («Testosterone Rex: Myths of Sex, Science and Society»; 2017) психолог Корделия Файн оспаривает биологические подходы, основанные на гормональных вариациях.

Файн полагает, что представления о базовых и глубинных различиях между мужчинами и женщинами сложились из-за доминирования Тестостерона Рекса, то есть идеи о том, что именно тестостерон отвечает за формирование многих ключевых социальных структур: «Это привычная, правдоподобная, убедительная и могущественная трактовка роли полов в обществе. Сплетая воедино взаимосвязанные тезисы об эволюции, мозге, гормонах и поведении, она предлагает складный и убедительный рассказ об устойчивом и, казалось бы, непреодолимом половом неравенстве». Но Тестостерон Рекс только кажется непобедимым, утверждает Файн, тогда как на деле вся история эволюции доказывает гибкость и разнообразие «естественного» сексуального порядка. Опираясь на научные исследования, Файн заявляет: функции мозга и гормональной системы у мужчин и женщин бесспорно отличаются, однако эти отличия следует рассматривать как стремление скорее сгладить поведенческие различия, проистекающие из репродуктивных ролей, нежели усилить их.

Значит, если одни физические черты призваны разделять женщин и мужчин, то другие делают их поведение более единообразным.

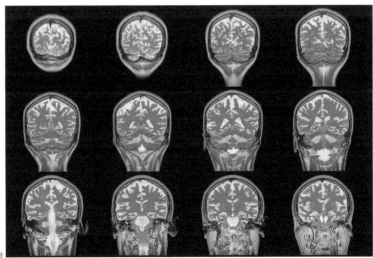

Эссенциалистские теории о половом диморфизме опираются на некоторые исследования в области эволюционной биологии и эволюционной психологии.

Можно отыскать аналогию между поведением мужчин и женщин и поведением животных, которое, как и у людей, эволюционирует со временем. Исследования поведения животных демонстрируют склонность самцов к добыче пищи и защите, а самок — к заботе и воспитанию потомства. Существуют и противоположные примеры, самый известный из них — императорский пингвин. Самка пингвина сразу после кладки яиц отправляется кормиться в океан и возвращается только через два месяца с едой для птенца, а отец всё это время оберегает и согревает яйцо, удерживая его в особой жировой складке у ног. Самец нанду (крупная нелетающая птица) полтора месяца высиживает отложенные самкой яйца и в одиночку заботится о птенцах первые полгода после рождения, за что получил прозвище отца-одиночки птичьего царства. У некоторых приматов роль самца тоже мало напоминает привычную модель. Например, у мартышек (как и у многих видов крыс), за новорожденными детенышами ухаживает отец потомства. «Неконвенциональное» мужское репродуктивное поведение встречается и среди морских животных. Самка морского конька откладывает яйца в специальную сумку на теле самца, где тот вынашивает их полтора месяца до появления мальков.

Такое разнообразие родственных и репродуктивных практик в природе ставит под вопрос центральную идею эволюционной

A

A   Самец эму высиживает яйца. У этого вида именно самец отвечает за высиживание и заботу о птенцах.

B   Самец императорского пингвина ухаживает за птенцом. Самка покидает гнездо сразу после кладки и зимует в океане, а самец в это время высиживает яйца и заботится о птенцах.

C   В процессе спаривания самка морского конька откладывает яйца в мешочек на груди самца, после чего тот вынашивает икринки до появления мальков.

в

с

Эволюционная биология изучает такие эволюционные процессы в природе, как естественный отбор, происхождение видов, разнообразие и приспособление разных форм жизни с течением времени.

Эволюционная психология предполагает, что в основе многих, если не всех особенностей человеческого поведения лежит процесс психологической адаптации. Как и физические черты, этот процесс возникает в ответ на давление среды и развивается в ходе эволюции.

Родственные и репродуктивные практики — это соответственно способы взаимодействия организмов со своими родственниками и способы размножения. Оба типа практик могут значительно различаться у разных видов.

психологии о врожденных половых и гендерных различиях. И в мире людей мужчины всё чаще берут на себя заботу о детях частично или полностью, а женщины выступают в роли кормильца семьи.

Половой диморфизм охватывает далеко не все формы современного сексуального и репродуктивного поведения. Так, многие мужчины и женщины сегодня принимают решение не заводить детей, и определения «добровольно бездетные» или «чайлдфри» стали вполне привычными. Согласно последним данным переписи населения в США в 2014 году, почти половина женщин в возрасте от пятнадцати до сорока четырех лет были бездетны, это самый высокий уровень с тех пор, как правительство стало следить за демографическими показателями в стране.

A Навесной календарь Golden Dreams
   1955 года, где американская актриса
   Мэрилин Монро позирует обнаженной.
   Монро согласилась позировать фото-
   графу Тому Келли в 1949 году, когда
   она отчаянно нуждалась в деньгах. Ей
   заплатили 50 долларов.
B В 1999 году члены Женского института Райлстона (Rylstone and District
   Women's Institute) снялись для благо-
   творительного календаря обнаженны-
   ми. Женщины всемирно прославились
   после фильма Calendar Girls (2003), где
   они поделились своими историями.
   На снимке участницы первой акции за-
   печатлены с новыми членами группы,
   которая была переименована в Baker's
   Half Dozen.

Разделение секса и репродуктивной функции ставит под вопрос определение секса как инстинктивной и всеобщей практики.

В свете современных открытий социобиологические теории о гендерной природе сексуального поведения — например, беспорядочных сексуальных связей или моногамии, — тоже вызывают сомнения.

Производитель лекарственных и косметических товаров
Superdrug недавно провел опрос на тему сексуального образа
жизни среди 2000 британских и европейских женщин и мужчин. Количество сексуальных партнеров, о которых сообщили опрошенные, оказалось почти равным у женщин и мужчин
(14 и 15 партнеров соответственно). Кроме того, у женщин

и мужчин одинаковое количество внебрачных связей. Таким образом, исследования опровергают миф о природной склонности мужчин к промискуитету, а женщин — к моногамии.

В книге «Путь Человека» («The Human Journey»; 2012) американский историк Кевин Рейли указывает на археологические свидетельства разделения труда в зависимости от пола еще в эпоху до неолита: «Охотились преимущественно мужчины, чаще группами; женщины же занимались собирательством вместе с детьми неподалеку от жилища».

Согласно общепринятому подходу, основанному на эволюционной психологии, распределение половых ролей в современном мире базируется на «естественно предписанной» модели, в которой мужчины охотятся, а женщины готовят еду и заботятся о потомстве.

Утверждается, что каждый пол лучше приспособлен к выполнению отведенных им ролей благодаря развитию оптимальных черт: например, можно сказать, что лучше развитая мускулатура у мужчин (чем в среднем у женщин) и высокий уровень тестостерона (повышающий склонность к агрессии и риску), делает их более подходящими для охоты.

в

Baker's half dozen . . .

A

Антропологи Стивен Л. Кун и Мэри С. Стайнер в своей статье «В чем работа матерей?» («What's a Mother to Do?»; 2006) приходят к выводу, что разделение труда в эпоху палеолита дало Homo sapiens преимущество над неандертальцами, поскольку позволило расширить рацион питания и работать сообща для повышения эффективности. В то же время ученые подчеркивают, что «не стоит сводить принципы разделения труда к одним только врожденным физическим или психологическим особенностям полов; многое еще нужно изучить».

Важно отметить, что, согласно антропологическим исследованиям, женщины в ныне существующих сообществах охотников и собирателей участвуют в охоте наравне с мужчинами.

Такова социальная организация некоторых современных народов, живущих охотой и собирательством: женщины из племен аэта на Филиппинах, или из народа жуцъоанси в Намибии, или из австралийских аборигенов марту участвуют в охоте наравне с мужчинами.

в

A   Женщины племени
     ака идут через лес
     на ежедневную ры-
     балку, ЦАР. Мужчины
     ака в равной степени
     с женщинами уча-
     ствуют в воспитании
     детей, проводя около
     47 % всей жизни ря-
     дом с ними.
В   Аэта — коренной на-
     род горной части фи-
     липпинского острова
     Лусон. Есть иссле-
     дование, согласно
     которому женщины-
     охотницы аэта добы-
     вают больше дичи,
     чем мужчины.

В книге «Человек-охотник» («Man the Hunter»; 1968) антропологи Ричард Боршей Ли и Ирвен Девор утверждают, что эгалитаризм лежал в основе организации кочевых народов — охотников-собирателей, поскольку необходимость постоянно передвигаться требовала равного распределения ресурсов и не позволяла отдельным членам накапливать излишки. В 2015 году британский антрополог Марк Дайбл сделал предположение, что половое равенство было эволюционно выгодно на ранних этапах развития человеческого общества, так как способствовало развитию обширных социальных сетей. Дайбл считает, что половое неравенство зародилось на стадии перехода к земледелию, когда племена стали оседлыми и появилась возможность делать запасы. В этих условиях, рассуждает Дайбл, мужчинам оказалось выгоднее накапливать ресурсы (включая жен и детей) и формировать альянсы по мужской линии родства.

Дайбл и его единомышленники полагают, что разделение социальных ролей на мужскую и женскую произошло в результате изменения социальных факторов, а не путем биологической эволюции; эту теорию мы рассмотрим более подробно в следующей главе.

На протяжении большей части истории у человечества не было полного понимания степени влияния биологического строения тела на гендерное поведение и социальные роли.

Американский историк сексуальности Томас Лакер (род. 1945) утверждает, что основа сегодняшних представлений

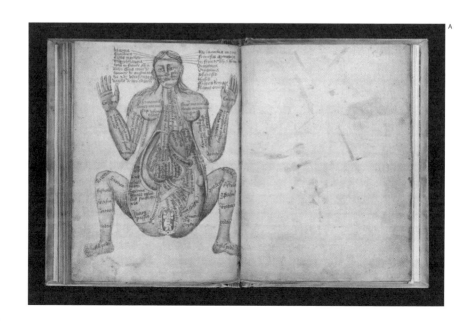

A

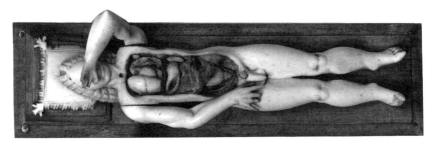

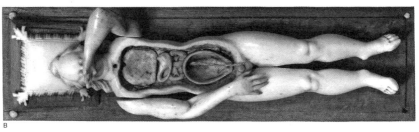

В

о поле и сексуальности была заложена в эпоху Просвещения в Европе XVIII века. В то время научный подход пришел на смену религии при объяснении вопросов пола и гендера.

Лакер определяет этот сдвиг как значимый переход от «однополой» к «двуполой» модели человека. Он демонстрирует, что со времен Древней Греции и до XVIII века женщины и мужчины понимались как «один пол». Считалось, что мужчины и женщины обладают вариациями одного типа человеческого тела: мужские гениталии находились снаружи, а женские были чем-то вроде зеркального отражения того же анатомического строения изнутри.

Эпоха Просвещения — период в европейской истории конца XVII — начала XIX века, отмеченный развитием научной, философской и общественной мысли, в результате которого научный подход, рационализм и индивидуализм возобладали над религией и традицией.

A Иллюстрация «беременная женщина» из английского медицинского трактата XV века «Анатомия» («Anatomia»), авторство которого приписывают Псевдо-Галену.

В Мужская и женская анатомические фигуры из слоновой кости (1701–1730). Органы изображены в общих чертах, поэтому модели вряд ли использовались для обучения медицине.

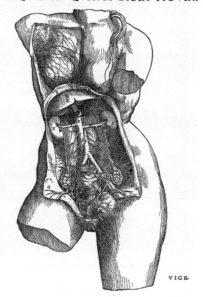

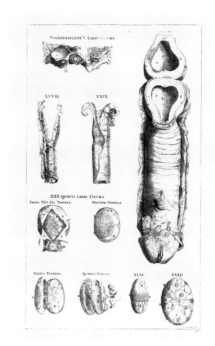

A

A Андреас Везалий стоял у истоков современной анатомии. На этих иллюстрациях из самой известной его работы «О строении человеческого тела в семи книгах» («De humani corporis fabrica libri septem», 1543) — схема женской анатомии (слева) и влагалищный канал, напоминающий перевернутый половой член (справа).

B Мужской скелет с конем (слева) и женский — со страусом (справа). Из серии гравюр Эдварда Митчелла для справочника «Анатомия костей человеческого тела» («The Anatomy of the Bones of the Human Body», 1829) доктора Джона Барклая.

Бинарная гендерная система выделяет две категории пола — мужской и женский. Эти категории считаются обособленными и противопоставляются друг другу. Эта система иногда смешивает биологические и социальные аспекты гендера.

Идея о том, что женское тело — это неполноценная или недоразвитая версия мужского, веками укреплялась в сознании благодаря исследовательским работам таких мужчин, как, например, античный врач Гален или средневековый фламандский анатом Андреас Везалий, который еще в XVI веке предлагал использовать вскрытие для изучения человеческого организма.

Начиная с позднего Средневековья и далее на протяжении эпохи Просвещения происходили последовательные изменения во взглядах на вопросы пола. Такие новые методы научных исследований, как патологоанатомическое вскрытие, обнаруживали всё больше различий между мужским и женским организмом, далеко не всегда связанных с репродуктивной функцией.

Историк науки Лонда Шибингер (род. 1952) в книге «Скелеты в шкафу» («Skeletons in the Closet»; 1986) пишет: «Начиная с середины XVIII века французские и немецкие медики стали уделять всё больше внимания половым различиям, описывая и определяя их в каждой кости, мышце, нерве или вене. Это стало одним из приоритетных направлений анатомических изысканий того времени». Так бинарная гендерная модель подчёркивала коренные различия в строении мужского и женского тел.

Именно это изменение Лакер называет переходом к «двуполой» модели. Шибингер и Лакер указывают, как изменялись изображения человеческого скелета в западноевропейских учебниках по медицине в то время. Раньше на изображениях был только один скелет — мужской, что соответствовало «однополой» модели.

Поскольку идеи о фундаментальных различиях между полами получали всё большее распространение, изображения одного скелета на страницах учебников сменились рисунками двух довольно разных скелетов — женского и мужского.

в

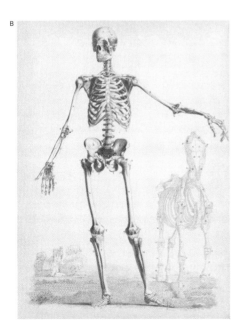
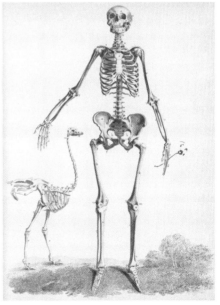

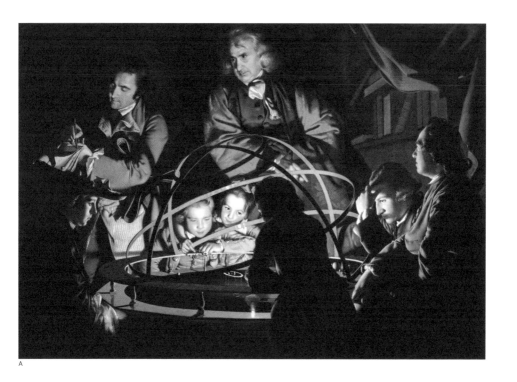

A

Когда внимание ученых привлекла разница полов, они задались вопросом, что именно делает женщин женщинами, а мужчин — мужчинами. Научная, философская и общественная мысль эпохи Просвещения была сосредоточена на идеях личной свободы и равенства людей. Тогда впервые встал вопрос о равноправии женщин. Шарль де Монтескье в «Персидских письмах» (1721) рассуждает: «Большой вопрос для мужчин: не выгоднее ли отнять свободу у женщин, нежели предоставить ее им? Мне кажется, есть много доводов и за, и против». В этом рассуждении отражается одна из главных проблем эпохи: обосновано ли зависимое от мужчин положение женщины естественным правом?

Видимо, научные теории о различиях между мужчинами и женщинами, развивающиеся на фоне грандиозных преобразований в политической философии и этике, были на руку сторонникам второстепенной роли женщин в обществе. Разумеется, аргументы о том, что женский череп в среднем меньше мужского, связывались с меньшим объемом мозга у женщин и использовались в XIX веке для обоснования неспособности женщин к рациональному мышлению.

A Хотя у этой картины Джозефа Райта из Дерби нет официального названия, она известна как «Философ, объясняющий модель Солнечной системы, в которой лампа замещает Солнце», или просто «Модель Солнечной системы» (около 1766). Изображение лекторов — довольно распространенный сюжет для живописи, хотя тема этой лекции является отходом от традиций того времени. В эпоху Просвещения науку и рациональность часто связывали с мужественностью.

B Картину «Первые шаги, или Кормящая мать» (Les premiers pas ou La mère nourrice; 1803–1804) Маргерит Жерар посвятила теме материнской ласки и заботы, благодаря которой художница приобрела известность. Проявления заботы исторически связывали с образом женщины.

B

С развитием «двуполой» модели мужские и женские социальные роли стали рассматриваться как различные с точки зрения науки, так же как раньше они считались таковыми внутри общественной и религиозной парадигмы, отмечает Лакер.

Развитие научных идей о гендерной бинарности способствовало биологическому обоснованию ассоциации мужчин с разумом и культурой, а женщин — с эмоциональностью и природой.

A   B

В XVIII веке женское тело отождествлялось с материн-
ством и заботой. Новые подходы к пониманию гендера
повлекли глубокие социальные изменения, подкрепив
ранее существовавшие религиозные, культурные и фило-
софские убеждения. Многие влиятельные философы,
в том числе Жан-Жак Руссо (1712–1778), утверждали, что
мужчины лучше подходят для общественной деятельности,
в то время как для женщин естественнее находиться
в частном пространстве и занимать подчиненное положение. В эпоху Просвещения общественная деятельность
приобрела более высокий статус, и мужчины достигли
новых уровней власти в обществе, пользуясь аргументами
новой системы половых различий.

Следует отметить, однако, что и в те времена не все женщины были
согласны с общественной изоляцией. Например, женщины высшего и среднего класса организовывали интеллектуальные салоны,
где обсуждали литературу, политику и философию наравне с мужчинами. В эпоху Просвещения появились писательницы, в особенности в романном жанре, а в 1792 году Мэри Уолстонкрафт (1759–
1797) опубликовала свой труд «В защиту прав женщин: критика
моральных и политических сюжетов» («A Vindication of the Rights
of Woman: With Strictures on Political and Moral Subjects»), в котором осуждала мужчин-теоретиков, обосновывающих ограничения
на образование для женщин. Однако, согласно доминирующим гендерным нормам того времени, пространство большинства женщин,
особенно из рабочего класса, ограничивалось домашним очагом.

Такую диспропорцию сил в обществе нелегко изменить.

Свойственный для «двуполой» модели акцент на биологических различиях между мужчинами и женщинами отчетливо прослеживается и в современных взглядах на гендер. Тем не менее серьезный недостаток традиционных биологических теорий заключается в том, что они никак не охватывают людей, не подпадающих ни под категорию мужчин, ни под категорию женщин.

Работа женщины-биолога Энн Фаусто-Стерлинг ознаменовала радикальный уход от привычных теорий гендера и биологии. Фаусто-Стерлинг доказывает, что концепция о существовании только двух биологических полов весьма проблематична. В книге «Наделение тела полом» («Sexing the Body»; 2000) она подчеркивает, что бинарная гендерная система — это следствие неверного понимания человеческой биологии, которое со временем приобрело статус истины. На самом деле, пишет Фаусто-Стерлинг, «полный набор мужских или женских признаков — это лишь полюса обширного спектра возможных конструкций человеческих тел». То есть между полюсами телесной мужественности и женственности находится множество вариаций. Большинство людей концентрируются вокруг одной из двух «крайних» категорий, но есть и другие значимые группы, располагающиеся между ними. Вариации хромосомного набора, определяющие пол, гораздо более разнообразны, чем привычные XX и XY хромосомы. Например, существует много состояний интерсекс (буквально, между полами) и даже в пределах одной категории есть гендерное разнообразие.

A   Портрет шевалье д'Эона (1792), написанный английским художником Томасом Стюартом по работе Жан-Лорана Монье. Шевалье жил как мужчина с 1762 по 1777 год и как женщина с 1786 по 1810 год. На картине изображен в черном платье для фехтования.

B   На портрете работы Джона Опи изображена Мэри Уолстонкрафт (около 1797) в скромном платье и с простой прической. Это отражает взгляды Уолстонкрафт на одежду, которая должна «украшать человека, а не соперничать с ним».

C   Экземпляр «Harris's List of Covent Garden Ladies» («Списка дам с Ковент-Гарден», 1773) — ежегодного каталога женщин, торгующих сексом в Лондоне георгианского периода.

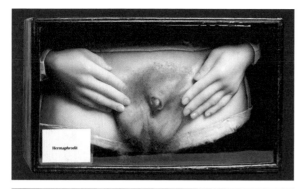

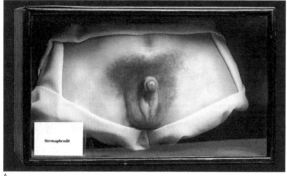

А

Не без иронии Фаусто-Стерлинг предлагает модель не из двух, а из пяти полов: мужчины, женщины, мермы, жермы и гермы (сокращение от термина «гермафродит»).

Исследования интерсексуальности подтверждают, что гендерное развитие гораздо более многообразно, чем предполагает система из двух полов. Сложно определить точный процент детей, рожденных интерсексуальными, поскольку врачи традиционно рекомендуют «коррекцию» пола в раннем возрасте, чтобы ребенок развивался либо мальчиком, либо девочкой. По оценкам

Интерсекс-движения за равноправие, наиболее точное исследование говорит о 1,7–2 % интерсексуальных людей в мире, что сравнимо с числом рыжеволосых (от 1 % до 2 %).

Интерсексуальность стигматизируется в обществе, а детям часто не сообщают, что в младенчестве им проводили хирургическую корректировку пола. Интерсекс-сообщества, которые при помощи интернета складываются сегодня по всему миру, особенно в Северной Америке, выступают против хирургического вмешательства. По мнению активистов, эти операции неэтичны, поскольку они проводятся без согласия ребенка и могут привести к серьезным физическим и психологическим проблемам во взрослой жизни.

Несмотря на существование интерсексуалов и трансгендеров (подробнее в главах 2 и 3), высока вероятность совпадения гендерной идентичности с биологическим полом. Многие люди ощущают это совпадение, и на этом основании их называют цисгендерами. Бинарный биологический подход, основанный на существовании этого совпадения, всё еще превалирует в научных исследованиях по социобиологии.

A Эти восковые модели гениталий были выставлены в Caston's Panopticon в Берлине в 1873 году вместе с моделями, демонстрирующими последствия венерических заболеваний. Сегодня патологизация интерсексуальности стала предметом споров.

B На этих двух фотографиях, сделанных Надаром в 1860 году, запечатлен человек с признаками интерсексуальности. Фотографии не публиковались, но использовались в научных и образовательных целях.

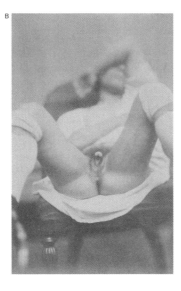

B

A

B

Приверженцы этого подхода считают, что различия на гормональном уровне и в структуре мозга объясняют различия в гендерном поведении, восприятии и социальных ролях. Идея о врожденности этих отличий, которые можно увидеть с помощью томографа, получила большую популярность благодаря таким бестселлерам, как «Мужчины с Марса, женщины с Венеры» («Men Are from Mars, Women Are from Venus»; 2002) Джона Грэя. Грэй утверждает, например, что у мужчин высоко развито пространственное восприятие, поэтому они лучше ориентируются по карте и лучше паркуются; тогда как женщины более эмоциональны и способны к языкам.

Согласно Грэю и многим другим авторам, эти различия в способностях обусловлены строением мозга и предопределяют гендерные роли, которые мужчины и женщины естественным образом принимают на себя.

Несмотря на это, наука всё чаще подвергает сомнению гендерную модель, основанную на различиях. Вместо этого предлагается искать схожие черты между полами. В частности, ряд ученых опровергают основания для так называемого

C

D

«нейросексизма» — идеи о различиях мужского и женского мозга.

В книге «Заблуждения о гендере» («Delusions of Gender»; 2010) Корделия Файн утверждает, что и женский, и мужской мозг гибок, податлив и изменчив. Исследовательница в области медицины Лиз Элиот тоже опровергает мнение, что мужчины и женщины «сделаны» по-разному, а в одной из работ (2010) отмечает: «...нет ничего такого, что предопределено нашим мозгом. Все навыки, характеристики и личные качества формируются нашим опытом». С этой точки зрения, человеческая психология одновременно определяет поведение и обусловлена им. Наш опыт программирует наш мозг, но и влияет на то, как мы воспринимаем мир вокруг.

A Французская писательница и поэтесса Колетт вступала в отношения как с мужчинами, так и с женщинами (в том числе с маркизой де Бельбеф, носившей мужскую одежду). Она много писала о женской сексуальности и гендерных ролях.

B Британская писательница и поэтесса Рэдклифф Холл часто одевалась в мужскую одежду и была известна среди друзей как Джон.

C Британский актер, писатель и модель Квентин Крисп, известный своей женоподобной внешностью и поведением, был одним из немногих открытых геев в Лондоне 1930—1940-х годов.

D Автопортрет американского художника Энди Уорхола. В его работах часто исследовались темы гендера, сексуальности и влечения.

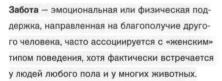

A

Забота — эмоциональная или физическая поддержка, направленная на благополучие другого человека, часто ассоциируется с «женским» типом поведения, хотя фактически встречается у людей любого пола и у многих животных.

Этнометодология — изучение того, как люди наделяют свой мир смыслом и создают социальную среду вокруг себя. Этнометодология рассматривает людей как рациональных акторов, использующих прагматическое мышление для функционирования в обществе.

Файн приводит результаты исследования заботы о детях Сари ван Андерс 2012 года. Поскольку уровень тестостерона у женщин в среднем ниже, чем у мужчин, а пониженный уровень тестостерона связывается с заботой, можно предположить, что женщины биологически лучше приспособлены для заботы о детях. В ходе эксперимента ван Андерс три группы мужчин получили запрограммированную куклу-младенца. В первой группе мужчин попросили просто сидеть и слушать детский плач, выполняя «традиционную мужскую роль» перекладывания заботы о ребенке на кого-то другого. Мужчин во второй группе попросили взаимодействовать с куклой, которая, однако, была запрограммирована плакать без остановки независимо от действий «отца», чтобы воссоздать ситуацию неопытного родителя. Третьей группе достались куклы, которые переставали плакать, если их должным образом укачивать — воспроизводя роль более опытных родителей. На протяжении всего эксперимента у всех участников измеряли уровень тестостерона. В первых двух группах уровень тестостерона рос по мере развития эксперимента, а в третьей группе — у мужчин, симулировавших заботу, — уровень тестостерона снижался, как только ребенок успокаивался. Значит, связь между уровнем тестостерона и заботой действительно существует: успешное выполнение задач по заботе о детях снижает уровень тестостерона.

Этот замкнутый круг причины и следствия не позволяет отделить биологические причины гендернообусловленного поведения от социальных или связанных с опытом.

Начиная с 1970-х годов, в результате социологических и некоторых психологических исследований гендерной идентичности ученые стали приходить к пониманию, что каждый человек обладает как мужскими, так и женскими характеристиками.

Исследования в области этнометодологии изучали гендер в контексте социального взаимодействия и повседневной деятельности. Был получен вывод, что гендер прочно связан с «вещами, которые мы делаем», а не является неким универсальным опытом. В статье «Создание гендера» («Doing Gender»; 1987) Кэндес Уэст и Дон Зиммерман исследуют, как гендер представляется в социальных взаимодействиях. Они пришли к выводу, что гендер «всезначим» (omnirelevant). Необходимость «создавать» гендер правильным образом в соответствии с социальными ожиданиями об уместном гендерном поведении проявляется во всех ситуациях, пусть порой неявно. Неправильное исполнение гендерной роли приводит к стигматизации человека как «немужественного» или «неженственного».

A Эта реклама солнцезащитного крема 1970-х годов объективирует женское тело, давая понять, что главное в женщине — ее внешний вид. Рекламодатели часто используют гендерные стереотипы для повышения продаж; желание соответствовать общепринятым представлениям о гендерном поведении может быть мощной мотивацией для потребителей.

B Реклама в автомобильном журнале *Max Power* позиционирует мужчину как владельца, а женщину — как собственность, такой же «аксессуар», как и машину.

Accessories to
be seen with

Max Cars. Max Babes. *Max Power Magazine*.
On sale 15th of every month.

A

В книге «Гендерная тревога» («Gender Trouble»; 1990) исследовательница и философ Джудит Батлер (род. 1956) еще дальше разделяет понятия биологического пола и гендера: «Когда сконструированный статус гендера понимается как полностью независимый от пола, гендер становится неопределенным изобретением, и, следовательно, слова "мужчина" и "мужское" могут означать и женское тело, и мужское, а слова "женщина" и "женское" могут в той же степени означать мужское тело, в какой и женское».

Эти взгляды расширили представления о гендерном опыте, поскольку позволили охватить феномены мужественной женщины или женственного мужчины. Так, работа Джека Халберстама о женской мужественности в 1999 году показала, что женская анатомия вовсе не обязательно предполагает женственное поведение или идентификацию себя в качестве «женщины». Исследование мужской женственности, проведенное Мими Шипперс в 2007 году, подтверждает и обратное: родиться мужчиной не значит вести себя согласно нормам, которые считаются типично мужскими.

В

Эти исследования серьезно оспаривают сведение гендера к биологическим различиям.

Становится ясно, что гендер не ограничивается биологическими признаками, и остается непонятным, насколько наше поведение зависит от пола. Более того, даже биологически не все тела можно разделить на мужские и женские: они либо относятся к обоим полам, либо — ни к одному из них.

2. Гендер как социальный конструкт

A

Есть разные мнения о том, насколько биология влияет на гендерное поведение и опыт человека.

Теория социального конструирования гендера предполагает, что гендерные роли — то есть шаблоны поведения, установленные как «идеальные» или «нормальные» для каждого пола, — определяются не только биологией и эволюцией, но и в какой-то степени обществом и культурой, в которых они создаются. Гендерные идентичности и проявления, противоречащие предписанным шаблонам поведения, воспринимаются как «ненормальные».

Чтобы проанализировать это, обратимся к истории восприятия гендерных ролей в разных обществах и культурах и посмотрим, как обстоят дела в настоящий момент.

A Современная реклама зачастую усиливает давление гендерных норм. Эта реклама средств для похудения Protein World заставляет женщин волноваться по поводу внешнего вида своего тела, намекая, что носить бикини «готовы» только стройные девушки.

B В последнее время всё больше рекламодателей высмеивают или открыто подрывают традиционные гендерные роли. На этих постерах, созданных тайской рекламной компанией Monday, изображены няни-мужчины, кормящие младенцев при помощи пакетов для грудного молока.

Такие историки, как Джоан Уоллах Скотт (род. 1941), Шейла Роуботам (род. 1943) и Хилари Уэйнрайт (род. 1949), критически относятся к биологическому толкованию гендера и утверждают, что исследование гендерных представлений и ожиданий в исторической перспективе помогает составить более полную картину.

Первые человеческие сообщества представляли собой кочевые группы охотников и собирателей, однако около 10 000 лет назад в отдельных регионах стали появляться первые оседлые поселения, которые начали заниматься земледелием, что ознаменовало возникновение аграрного общества. Сельское хозяйство позволяло прокормить больше людей, чем требовалось для его ведения, поэтому такие общества накапливали излишки продовольствия, что создало условия для деятельности, напрямую не связанной с земледелием: войны, совершенствование технологий и торговля.

Социальное конструирование предполагает, что люди активно создают свой социальный мир через взаимодействие и общие взгляды. Согласно этой социологической теории, социальная действительность создается людьми совместно, а не возникает сама собой, подчиняясь «естественным законам».

Аграрное общество характеризуется экономикой, в основе которой лежит сельское хозяйство, земледелие и скотоводство. Таким было подавляющее большинство обществ после охотничье-собирательского периода и до начала индустриализации в XVIII—XIX веках.

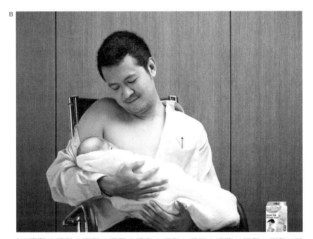

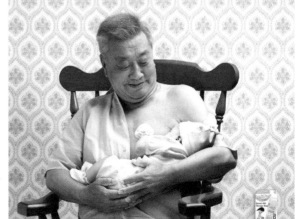

Богатство и статус в аграрных обществах напрямую зависели от наличия права собственности на землю, а в дальнейшем ценность собственности стала доминирующей и в других сферах жизни. Именно собственность, а не труд стала основным критерием общественного положения, при этом имуществом чаще всего владел и распоряжался самый высокий по статусу мужчина в семье.

Основой ранних аграрных обществ была семья или община, в которой каждый член выполнял свою функцию в производстве пищи. Согласно распространенному тогда принципу разделения труда, мужчины работали в поле, а женщины занимались домашним хозяйством, готовили еду, пряли, ткали, ухаживали за детьми и иждивенцами. Такое разделение труда могло сложиться из-за физических различий — например, благодаря в среднем более крепкому торсу у мужчин; или благодаря репродуктивной роли женщин, которые в отсутствие контрацепции часто беременели и поэтому до определенной степени не подходили для работы в поле. Прокормиться в одиночку было трудно или вовсе невозможно. Поэтому наиболее разумным было общее семейное владение всеми ресурсами, а не индивидуальное, но поскольку главой семьи почти всегда считался мужчина, именно он занимался накоплением, распределением и охраной ресурсов.

По мере развития аграрных обществ и превращения их в такие цивилизации, как Египетская, Древнегреческая, Римская

A

A   На этом фрагменте рельефа позднего периода Древнего Египта женщины готовят экстракт лилий, отжимая и скручивая цветки при помощи льняного мешка.

B   Фрагмент настенной фрески периода Нового царства (Древний Египет, 1550–1069 годы до н. э.) изображает мужчин за посевом и сбором урожая. Женщины здесь тоже есть — слева в центральном ряду. Фрагмент из гробницы Онсу на западе Фив.

в

и другие, гендерные роли ранних аграрных культур закрепились в религиозных и культурных нормах, даже после того, как обстоятельства, породившие их, изменились.

Во всех трех упомянутых цивилизациях женская сфера влияния ограничивалась домашним очагом, тогда как мужчины активно включались в общественную жизнь. Самым высоким социальным статусом обладал глава домохозяйства.

Порядок, при котором всеми семейными запасами владеет и распоряжается мужчина, в некоторых аграрных обществах — например, в Древней Греции — перерос в полное лишение женщин прав на собственность, они не могли даже покупать ничего дороже бушеля ячменя. Хотя Древняя Греция считается колыбелью демократии, у ее жительниц не было избирательного права, а многие из них не могли появляться на публике без охранника-мужчины, приставленного для круглосуточного контроля и сопровождения.

A

Такие порядки ставили женщину в подчиненное положение, в котором ее пропитание, защита и поддержка полностью зависели от мужчины. Это состояние считалось естественным, что нашло подтверждение в высказывании Аристотеля: «…самец по натуре превосходит самку, мужчина рожден править, а женщина — подчиняться».

Собственность в аграрных обществах обычно передавалась от поколения к поколению, поэтому статус определялся происхождением. Чтобы этот механизм работал, женскую сексуальность ограничивали — ведь кто является матерью ребенка определить нетрудно, но с отцовством дело обстоит сложнее. Женская девственность (до брака) и верность (в браке) были гарантией происхождения ребенка от конкретных родителей и наследования им соответствующего имущества и статуса.

Несмотря на общий фундаментальный принцип разделения сфер деятельности — домашняя для женщин, общественная для мужчин, — между этими культурами можно обнаружить любопытные отличия. Например, в Древнем Египте женщины и мужчины имели равные права и обязанности перед законом. Женщины имели право на владение и наследование собственности, могли инициировать развод, вступать в сделки, оставлять завещание и занимать деньги.

Аристотель — древне-
греческий философ и ученый,
область интересов которого
охватывала множество на-
правлений науки, философии
и искусства. Аристотель ока-
зал огромное влияние на за-
падную культуру и мысль.

A   Аттическая краснофигурная ваза-
пись 480–500 годов до н. э. с изоб-
ражениями интимных деталей
женской жизни. (Слева направо):
женщина у умывальника; женская
половина дома; танцующая гетера;
гетера за мочеиспусканием. Гете-
ры — это независимые куртизанки
(в отличие от порнаи, рабынь, которых использовали как проституток).

Во многих развитых аграрных обществах, в том числе в Древней Греции и Риме, если у женщины не было необходимости работать, это было признаком высокого статуса.

Отсутствие работы у женщины подразумевало, что муж или отец располагает достаточными ресурсами на ее содержание, и это повышало статус всей семьи и ее главы. Однако даже от женщин самого высокого положения ожидалось, что они будут заниматься домашним хозяйством с помощью слуг или рабов, которые непосредственно выполняли работу по дому и воспитанию детей.

Женщины из менее состоятельных семей или оставшиеся без защиты и поддержки мужчины вынуждены были работать наравне с рабами. Одним из вариантов трудоустройства была проституция. Другие занимались домашним хозяйством в семьях; пряли, ткали, шили одежду; ухаживали за чужими детьми; работали акушерками; занимались уборкой дома; становились жрицами, чаще всего в культах, поклонявшихся женским божествам. В разных обществах преобладали разные профессии, ведь далеко не всем женщинам оказывали покровительство родственники-мужчины. Поэтому многим женщинам приходилось работать вне дома и самостоятельно себя содержать, чтобы внести свою лепту в семейный доход или просто потому, что они попали в рабство.

Аграрные общества и их гендерные порядки сохранялись до наступления промышленной революции, которая началась в Европе в конце XVIII века и продолжалась на протяжении всего следующего столетия. До этого большинство европейцев жили небольшими сельскими общинами. Женщины были включены в основные сферы кустарного производства, например прядильную промышленность. Во время жатвы женщины и дети вместе с мужчинами собирали урожай. В городских поселениях женщины наряду с мужчинами занимались торговлей и ремеслами, изготавливали ткани, изделия из кожи и металла.

Период Мэйдзи в Японии ознаменован переходом от изолированного феодального общества к современному устройству, открытому для внешнего мира. Это произошло при реставрации власти императора после поражения сёгуната Токугавы и его правительства.

A   Римская мозаика IV века, обнаруженная в Вилле Романа дель Казале на Сицилии, изображает девушек в бикини, играющих в спортивные игры. Девушка в тоге вручает корону и пальмовую ветвь победительнице.
B   Иллюстрация в Кодексе Мендоса (Códice Mendoza, около 1542) изображает обучение ацтекских мальчиков и девочек семидесяти лет. На картинке сверху мальчика учат ловить рыбу, а девочку — обращаться с веретеном. Здесь же представлены гендерно специфические наказания: мальчика колют и связывают, а девочке оставляют порезы на запястьях.

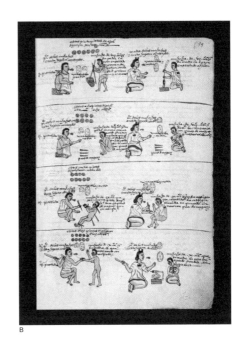

B

Возникновение «двуполой» гендерной модели в XVII–XVIII веках можно проследить не только через развитие медицины, но и через экономические и политические трансформации, касающиеся женщин, которые получили возможность работать наравне с мужчинами и соперничать с ними на рынке труда.

Так, если сопоставить изменение взглядов на гендерные различия в Новое время с развитием типов хозяйствования в разных регионах, то можно заметить связь этого процесса с экономическими потребностями, которые сложились в результате промышленной революции. В Японии, например, промышленный переворот произошел позже, чем на Западе, — в период Мэйдзи, примерно с 1870 года, но принес схожие с западноевропейскими изменения роли женщины в обществе.

С начала промышленной революции на Западе женщины и дети работали вместе с мужчинами в появляющихся новых отраслях (позднее борцы против детского труда добились сокращения рабочего дня для детей и женщин, а потом и полной его отмены).

Хотя женщинам из рабочего класса всегда приходилось работать, характер труда во время промышленной революции изменился.

Новые технологии в таких отраслях, как текстильная, гончарная и пищевая, заменили доминировавших ранее в этих областях квалифицированных работников-мужчин. Женщины и дети, готовые работать за меньшие деньги и, вероятно, более открытые к производственным новшествам, стали занимать места мужчин или пополнять их ряды. Профсоюзы защищали мужские интересы и выступали против участия женщин в традиционно мужской роли добытчика.

А

A Это изображение «Ирландской льняной мануфактуры» (1791) показывает способы изготовления льна, использовавшиеся в XVIII веке, когда многие женщины были вовлечены в кустарное производство текстильных продуктов.

B Работницы в крутильном цехе на заводе Дин Миллс, Манчестер, 1851 год. На раннем этапе промышленной революции текстильные фабрики часто нанимали женщин.

Если раньше женщины были редкими и подчиненными участницами рынка труда, а потому не представляли никакой угрозы, то теперь они стремительно догоняли мужчин, по крайней мере в некоторых отраслях. Многие религиозные лидеры, в том числе христианские, выражали беспокойство по поводу изменяющейся роли женщин в обществе, противоречащей учению священных текстов.

Если бы женщины вернулись к домашним делам, заботе о муже и детях, эти страхи улетучились бы, но традиционный социальный конструкт идеальной женственности уже был артефактом прошлого.

GODEY'S FASHIONS FOR JULY 1875.

Религиозные лидеры и профсоюзы оказывали
значительное влияние на общество. Работающие
женщины (и, следовательно, женщины из рабочего
класса) представлялись в доминирующем гендерном дискурсе неудавшимися женщинами. Образ
идеальной в понимании среднего класса семьи,
где мужчина зарабатывает, а женщина заботится
о нем и детях, вполне мог быть вытеснен с развитием индустриализации, но вместо этого просуще-
ствовал весь XIX век и начало XX столетия.

Марксистско-феминистские исследовательницы, в том
числе Кристин Дельфи (род. 1941), утверждают, что такая
гендерная модель удобна для капитализма: женщины
выполняли неоплачиваемый домашний труд, являлись
«резервом» для дешевого коммерческого труда и сред-
ством производства и воспитания следующего поколения
рабочих. Эта система оправдывалась как отражение
«идеального» естественного порядка и подкреплялась
научными доводами «двуполой» модели. Развеять эти
идеалы было непросто, несмотря на то что они были
неприменимы к семьям, в которых женский заработок
был необходим для поддержания хозяйства.

Дискурс относится в целом к любым формам устной и письменной коммуникации, но может использоваться и в более узком смысле для обозначения формальной академической дискуссии в рамках определенной темы. В общественных и гуманитарных науках дискурс означает преобладающий способ мышления относительно определенной темы.

Капитализм — экономическая и политическая система, в которой производство и торговля контролируются частными собственниками ради получения прибыли.

В так называемых культурах «фронтира» — например, в Новой Зеландии и на Американском Западе — встречались примечательные исключения из этого порядка. В условиях колонизации, когда отца, мужа или брата не было рядом или они оказались недееспособны, женщины брали на себя традиционные для мужчин функции: стрельба, управление лошадной повозкой, защита и обеспечение семьи. В итоге Новая Зеландия и некоторые западные штаты одними из первых ввели избирательное право для женщин (хотя на федеральном уровне оно было закреплено в США только в 1920 году), и в некоторых случаях позволялось наследовать имущество.

В то же время в Великобритании викторианский средний класс серьезно беспокоило противоречие между общепринятыми идеалами женственности и растущим числом работающих женщин. В этой ситуации решением виделись работа по дому и забота о членах семьи, которые пропагандировались как лучшие способы подготовиться к замужеству.

MISS ANNIE OAKLEY
(LITTLE SURE SHOT)
CABINET PORTRAIT

Calamity Jane Gen Custer Scout

Finn Livingston Mont.

A

Женщин из рабочего класса приучали к выполнению домаш-
них обязанностей, чтобы привить им традиционный для среднего класса семейный уклад. Такой подход нашел отражение
в правительственном докладе 1904 года:

> «К 13 годам большинство девушек начинает работать
> на фабрике, самостоятельно зарабатывает, вливается
> в многочисленный рабочий коллектив со всей сума-
> тохой и сплетнями фабричной жизни. В таких услови-
> ях они растут совершенно несведущими в домашнем
> хозяйстве… Пока мы не научим их находить удоволь-
> ствие в работе по дому, мы не можем рассчитывать
> на то, что они откажутся от работы на заводе».

Подобное негативное отношение к меняющейся роли женщин можно встретить и в японском гражданском кодексе
периода Мэйдзи, введенном в 1898 году, то есть примерно спустя 30 лет после начала индустриализации. Кодекс
обязывал женщину заручиться разрешением мужа, чтобы
«приобретать или использовать капитал; предоставлять
заем или получать кредит; распоряжаться ценным дви-
жимым и недвижимым имуществом; вступать в любые су-
дебные разбирательства; дарить, уступать или заключать
соглашения о ценных бумагах; получать наследство или
отказываться от него; совершать любые действия, которые могут повлиять на ее правовое положение».

В книге «Становление класса и гендера: путь
к респектабельности» («Formations of Class and
Gender: Becoming Respectable»; 1997) гендерная

исследовательница Беверли Скеггс утверждает, что с XIX века и по сей день понятие «порядочность» играет ключевую роль в формировании гендера. Быть «хорошей женщиной» часто означает быть «порядочной» женщиной — то есть сдержанной, умеренной, без «излишков», что отражает культурные ценности среднего класса о хорошем вкусе.

Веками представления о женственности связывались с вопросами морали, это справедливо и в отношении современного общества.

Религия, наряду с культурными ценностями и нормами права, играет важную роль в становлении и поддержании гендерного морального кодекса и гендерных ролей. Религиозные нравственные нормы, подчеркивающие важность женской чистоты и целомудрия, легитимизируют половую сегрегацию в общественной жизни и религиозной практике.

Во многих религиозных текстах традиционные для древних аграрных обществ гендерные роли преподносятся как обязательные правила поведения, непременное условие праведной жизни и спасения после смерти.

В религиозных течениях иудаизма, ислама и христианства разделение женщин и мужчин направлено на защиту женской чистоты от «неуправляемой» мужской сексуальности. Эти идеи часто проявляются и в современных дискурсах о гендере и сексуальности, в которых речь идет о том, что женщины несут ответственность за сексуальные домогательства и насилие против них из-за, к примеру, их выбора одежды или употребления алкоголя. Кроме того, многие консервативные религиозные общины, такие как амиши или ортодоксальные иудеи, и сегодня предпочитают строго соблюдать традиционные гендерные нормы в общественной и личной жизни.

В Древней Японии, согласно китайским источникам I века до н. э., напротив, не было социальных различий между мужчинами и женщинами, и женщины были среди правителей. Хотя эти сведения могли быть попыткой Древнего Китая очернить японцев, такое эгалитарное поведение могло быть также связано с синтоизмом — религией, которую исповедовали тогда в Японии. Ранняя форма этой религиозной практики включала поклонение Аматэрасу, прародительнице жизни и богине солнца, что указывает на матриархальный характер религии, в которой женское начало принимается и почитается наравне с мужским.

А

A Фрагмент триптиха «Происхождение музыки и танца у подножия горы» («Origin of Music and Dance at the Rock Door», 1887) японского художника Тосимаса Сюнсаи с изображением богини солнца Аматэрасу, выходящей из пещеры.

B На фото изображена повозка для гарема 1880-х годов. Повозка полностью закрыта, чтобы уберечь женщин от посторонних взглядов и сохранить их чистоту, как того требует пурда.

B

Синтоизм — традиционная религия в Японии, распространена и по сей день наряду с буддизмом. В своей первоначальной форме синтоизм существовал отдельно от буддизма, но по мере развития перенял некоторые черты буддизма и конфуцианства.

Пурда — форма женского затворничества в некоторых индуистских и мусульманских сообществах Южной Азии. Согласно этой практике, женщина должна скрываться от взглядов — особенно мужских — под одеждой или вуалью, а женское пространство должно быть отделено стеной или ширмой.

Меняющиеся экономические и политические условия могут идти вразрез с религиозным пониманием гендера.

Сдвиги в экономической и политической системах были и остаются ключевыми факторами, влияющими на гендерный опыт. В Бангладеш, например, осуществляемая с конца 1970-х торговая политика дала толчок развитию швейной промышленности, что привело к притоку женской рабочей силы на рынок труда. Всё больше женщин приезжали в города в поисках работы, хотя это противоречило кодексу пурда, который разделяет мужчин и женщин в публичной сфере и предписывает женщинам закрывать тело и лицо. Участие женщин в труде способствовало ослаблению давления религиозных норм в городах и в семьях, нуждающихся в женском заработке. Это, в свою очередь, приводит к более широким представлениям о возможностях для женщин в обществе.

А

Исторический анализ пурды доказывает, что такие факторы, как каста и класс, всегда влияют на культурные ценности общества. Так, строгих требований чаще всего придерживались женщины из обеспеченных семей, поскольку им не нужно было работать, тогда как женщины низших каст и классов трудились в поле бок о бок с мужчинами, чтобы семья могла прокормиться.

Индуистский ритуал сати и реакция Запада на него может быть еще одним примером того, как изменяющиеся социальные условия вступают в противоречие с религиозными гендерными традициями. Практика сати подразумевает самосожжение вдовы на погребальном костре мужа. Если исторически для индуистов это был акт благочестия, то в либеральном и особенно феминистском сознании сати стал символом принуждения и насилия над женщинами.

В 1829 году британское колониальное правительство в Индии объявило сати вне закона. Гаятри Спивак в эссе «Могут ли угнетенные говорить?» («Can the Subaltern Speak?»; 1998) отмечает: о сати известно только со слов британских колонистов, а не самих женщин. Сентенцией «Белые мужчины спасают небелых женщин от небелых мужчин» Спивак проблематизирует вопросы власти. В ее анализе внимание смещается с частностей патриархатного обычая к проблеме индивидуальной независимости женщин. Спивак и другие постколониальные феминистки считают, что в практике сати переплетаются эти сложные вопросы.

Как показывает пример пурда, завоевание или колонизация территории другой страной ведет к навязыванию колонизатором гендерных ролей и ожиданий, которые могут не соответствовать местным обычаям. Гендерные ожидания могут сталкиваться и приобретать сложный и противоречивый характер.

В некоторых регионах Южной Америки испанское правление повлияло на разграничение гендерных ролей в семье. Гендерные модели коренных народов и современные требования капитализма поощряют женский оплачиваемый труд и существуют параллельно с этими ролями. Противоречивые гендерные ожидания, диктуемые, с одной стороны, рынком труда, а с другой — семейным долгом, налагают на женщин Южной Америки и других регионов мира несовместимые обязанности.

Сати — индуистский похоронный ритуал, в котором вдова совершает самосожжение на погребальном костре мужа; сегодня не практикуется. Сторонники сати толковали его как акт высшего благочестия и чистоты. Противники обычая поясняют, что альтернатива у вдовы была весьма безрадостная: полностью отверженная обществом, женщина должна была обрить голову, питаться только рисом, исключить любые социальные связи; кроме того, она рисковала столкнуться

с нападками родственников мужа, которые наследовали бы его собственность после смерти жены.

Постколониальным иногда называют период после окончания колониального правления. Постколониальные исследования — это направление в социальных науках, которое рассматривает антропогенные последствия колониального режима с позиции коренных народов, столкнувшихся с империализмом.

A   Картина индийского художника XIX века с изображением ритуала сати, в котором вдова совершает самосожжение на погребальном костре мужа.

А

Западные феминистские движения опровергают господствующие убеждения о биологической предопределенности гендера, и на протяжении XX века обнаружилось немало доказательств в пользу их аргументов.

Работы по гендерной социализации подтверждают, что гендерное поведение — свойство приобретенное, а не врожденное.

Отношение окружающих нас людей по мере нашего взросления влияет на всю дальнейшую жизнь. Анализ гендерной социализации показывает, что мы поощряем одно поведение среди девочек и другое — среди мальчиков, покупаем для них разные гендерно специфические игрушки, ожидаем разные телесные проявления гендера. Исследования также подчеркивают, что базовые социальные структуры играют ключевую роль в формировании гендерных различий. История, религия, представления о «естественном» подталкивают общество и каждого его члена к воспроизводству традиционных гендерных ролей. Гендерные исследования

A Эта фотография под названием «Со У и ее розовые вещи» — часть проекта «Розовый и голубой» (2005 — продолжается до сих пор). В серии работ южнокорейский фотограф Чон Ми Юн изучает связь между гендером и потреблением детских продуктов в США и Южной Корее.

B Фотография «Кихён и его голубые вещи» из той же серии. «Я хотел показать, как дети и родители осознанно или неосознанно поддаются влиянию рекламы и поп-культуры, — говорит Юн. — Голубой цвет стал символом силы и мужественности, а розовый — нежности и женственности».

образования обнаруживают наличие систематических ожиданий от мальчиков и девочек по определенным школьным предметам, что подталкивает их выбирать предметы, основываясь на своем гендере.

Гендерные медиаисследования обращаются к закодированным в культурных репрезентациях гендерным различиям: медиа продукты для мальчиков, как правило, делают акцент на активности и храбрости, а для девочек — подчеркивают доброту и красоту.

Гендерная социализация — термин, которым в социологии и гендерных исследованиях описывают процесс усвоения традиционных гендерных норм и ценностей.

В эссе «Бросать, как девчонка: феноменология женского телесного, двигательного и пространственного поведения» («Throwing Like a Girl: A Phenomenology of Feminine Body Comportment Motility and Spatiality»; 1980) феминистка и философ Айрис Марион Янг (1949–2006) предполагает, что девочки приучены считать свое тело слабым. Они избегают физических упражнений, на которые, как им кажется, они не способны. А если нет практики — скажем, в тех же бросках, — то неоткуда взяться силе и уверенности. Девочек не поощряют пользоваться своим телом так же свободно, как мальчиков, и это влияет на всю дальнейшую жизнь. По словам Янг, девочек «физически ограничивают, сдерживают, притесняют и объективируют».

Важным дополнением к теории гендерной социализации 1980-х годов стало утверждение Джудит Батлер о социальной и культурной сконструированности как пола, так и гендера. Согласно Батлер, дело не в том, что собой представляют телесные различия, а в том, как их воспринимает общество.

Батлер пишет, что пол и гендер конструируются дискурсом. С этой точки зрения, гендер не существует вне дискурса. Батлер утверждает, что гендер не дается от рождения, скорее мы постепенно учимся «создавать» гендер: «Мы ходим, говорим и поступаем так, чтобы укреплялось представление о нас как о мужчинах или женщинах».

Батлер разработала концепцию «перформативности», чтобы объяснить, как гендерные нормы навязчиво и многократно проигрываются, приобретая статус естественных. Она приводит в пример

A

A   Обложка британской газеты *The Sun* с заголовком «Сын», созданная лондонским агентством Grey по случаю рождения принца Джорджа, сына герцога и герцогини Кембриджских в июле 2013 года. Обложка подчеркивает, как важен пол новорожденного во многих обществах, особенно когда собственность или титул передаются по мужской линии.

B   В Италии после рождения ребенка на двери дома традиционно вывешивают голубую или розовую ленту, чтобы объявить о рождении мальчика или девочки соответственно.

ситуацию рождения ребенка. Когда врач или медсестра объявляют пол младенца, они не просто указывают на какой-то уже достоверный факт, ведь, по Батлер, врожденного гендера не существует. Скорее они производят речевой акт (она называет его «перформативным высказыванием»), который создает пол ребенка самим фактом его произнесения. Высказывание «это девочка» или «это мальчик» приписывает определенный гендер новорожденному телу. Согласно Батлер, социальные гендерные нормы и ценности — это основная составляющая того, из чего складывается гендер.

Гендерные ожидания общества не всегда развиваются по пути плавного линейного прогресса, предполагающего улучшение положения в вопросах гендерного равенства и прав.

Например, со сменой правительства в 1980-х годах в Иране положение девочек и женщин ухудшилось, а предписанные им социальные роли изменились. В начале XX века иранские женщины были образованны и принимали полноценное участие в трудовой жизни. Многие из них занимались политической и общественной деятельностью. Среди женщин было много журналисток и писательниц, а первый журнал, посвященный женским вопросам, был основан еще в 1907 году, то есть почти за десять лет до того, как в Британии признали избирательное право для женщин.

В результате революции 1979 года Иран стал исламской республикой. Во главе с аятоллой Хомейни новая власть серьезно изменила существовавшие гендерные роли и отменила ряд женских прав, которых ранее добились феминистские движения. Теперь женщины не могли работать в государственных учреждениях, возраст вступления в брак снизился до 9 лет, замужним девушкам запретили посещать школу, общественные пространства подвергли половой сегрегации и женщин обязали одеваться согласно исламской традиции.

Только спустя почти 20 лет, когда в 1997 году произошла смена правительства, иранские женщины начали восстанавливать свои права.

Многие женщины вновь включились в политику и феминистские движения, а в 2003 году активистка за права женщин Ширин Эбади получила Нобелевскую премию мира. Однако в 2012 году иранский парламент вновь ограничил права женщин. Кроме того, независимо от настроений текущего правительства, личную свободу женщин, их семейные и репродуктивные права, а также дресс-код ограничивают исламские законы (о некоторых интерпретациях этих практик — см. о никабе в главе 4, например). Сегодня иранские женщины по-прежнему лишены многих фундаментальных прав.

А

A Женщина в чадре у витрины магазина, рядом с парой в западной одежде, Тегеран, 1961 год. Сегодня иранские женщины обязаны покрывать голову, но носить чадру необязательно.

B Кадр из видеоинсталляции «Пыл» («Fervor», 2000) Ширин Нешат. Картина исследует темы любви и гендера в Иране после революции 1979 года, которая привела к разделению общественного пространства на мужское и женское.

Аятолла Хомейни (1902–1989) — иранский политик, религиозный лидер мусульман-шиитов, открытый противник шаха и западного влияния на Иран. После падения шахского правительства в 1979 году объявил Иран исламской республикой.

Ширин Эбади (род. 1947) — юрист, профессор, активистка движения за права человека в Иране и по всему миру. До Иранской революции была одной из первых женщин на высших судебных должностях. Запустила кампанию «Один миллион подписей…».

В

Несмотря на это, движение за права женщин в Иране сохраняет силу.

В 2006 году была запущена кампания «Один миллион подписей за отмену законов, дискриминирующих женщин». Движение продолжает отстаивать права женщин в разных сферах общественной жизни.

Пример Ирана демонстрирует, как глубоко связаны гендерные представления с изменениями в политической и религиозной системе, которые формируют повседневный гендерный опыт.

Взгляды политических и религиозных лидеров резко контрастируют с убеждениями активисток за права женщин. Налицо конфликтующие концепции гендера, значения которого постоянно изменяются. Такие конфликты подтверждают, что гендерные нормы отличаются не только в разные эпохи и в разных культурах, но варьируются в рамках одной страны и исторического периода.

Представления о мужественности и ожидания от «настоящего мужчины» тоже обусловлены историческими и культурными переменами.

В западных странах физические контакты между мужчинами считаются признаком однополого влечения и нередко подвергаются дискриминации, но во многих арабских странах гетеросексуальные мужчины часто держатся за руки на публике. И хотя западный конструкт мужественности включает силу, власть, способность защищать и обеспечивать семью, внимательный взгляд на мировую культуру обнаруживает подвижность и изменчивость как мужских, так и женских ролей.

A На фотографии запечатлен конг чьен, традиционный танец народа эде, живущего в центральных горных районах Вьетнама.

B Фотография двух пастухов у реки Кокча провинции Тахар в Афганистане, где у мужчин принято держаться за руки; 2009 год.

C На фоне призывов к миру на Ближнем Востоке, Президент США Джордж Буш следует принятому в Саудовской Аравии обычаю и держится за руки с наследным принцем Абдуллой; 2005 год.

A

Эде — этническая группа, проживающая на юге Вьетнама, также известна как раде. Это матрилинейное общество, в котором семейства живут сообща в длинном доме, принадлежащем старшей женщине в семье.

B

C

Например, на острове Оранго в Гвинее-Бисау мужчинам запрещено делать предложение женщинам, а когда женщина предлагает вступить с ней в брак, мужчина не вправе отказаться. У южновьетнамского народа эде мужчины не наследуют собственность, а после брака мужчина берет фамилию жены и переезжает в ее дом. В Японии традиционно женщины преподносят мужчинам в подарок цветы и конфеты, а не наоборот.

Несмотря на очевидное культурное и историческое разнообразие гендерных ролей, традиционные ожидания от мужчин и женщин порождают неравенство и по сей день.

После промышленной революции число работающих женщин значительно возросло. Женщин из высшего, среднего или рабочего класса стало привычно видеть участницами публичной сферы во многих регионах мира. Во многих странах общество всё более благосклонно относится к женщинам на работе и к мужчинам, занятым домашним хозяйством (см. главу 4).

A

ЮНИСЕФ — Международная организация, базирующаяся в Нью-Йорке и действующая под эгидой Организации Объединенных Наций, призвана помогать детям и защищать их интересы в менее развитых странах.

Тем не менее в сфере домашнего труда и воспитания детей по-прежнему сохраняется гендерное неравенство. Опрос, проведенный в 2016 году Национальной статистической службой Великобритании, обнаружил, что в парах, где и мужчина, и женщина работают, женщины выполняют на 40 % больше неоплачиваемой работы по дому, чем мужчины, в том числе поддерживают чистоту, занимаются покупками и готовят.

По наблюдениям ЮНИСЕФ, гендерная социализация и гендерные стереотипы во многих регионах мира сложились таким образом, что рождению мальчиков придают большее значение, чем рождению девочек, как если бы мальчики были более ценными членами общества. Согласно данным ЮНИСЕФ, это приводит к дискриминации девочек в сфере социальной и медицинской помощи, а также в сфере образования.

Традиционные гендерные роли возникли в ответ на потребности раннего аграрного общества. Степень, в которой гендерные роли меняются в зависимости от экономических, социальных и политических реалий, позволяет предположить, что гендер конструируется социально, а не предопределяется жесткими характеристиками биологических различий.

Гендерные нормы, ценности, роли и ожидания формируются конкретными обществами и культурами, приобретая в них статус идеальных характеристик.

Далее они поддерживаются структурами и ценностями этих обществ, а также сознательно или бессознательно, населяющими их индивидуумами. Поскольку эти роли и ожидания сами по себе являются тем, что мы понимаем под гендером, и они варьируются в зависимости от культуры и эпохи, можно утверждать, что гендер сам по себе непостоянен.

Его изменчивость и социальная конструируемость отчасти проявляются в противоречиях, наблюдаемых в интерпретации гендерных ролей и форм репрезентаций среди тех, кто определяет себя как мужчина или женщина. Но существование трансгендеров и небинарных гендерных идентичностей указывает также на то, что традиционные роли и нормы не способны учесть всё смысловое значение и переживание гендера. В третьей главе мы подробнее обсудим небинарные идентичности и идеи о гендерном представлении как об изменчивой, а не жесткой социальной функции.

A Китайский плакат 1986 года, пропагандирующий планирование семьи и направленный на реализацию национальной политики «одна семья — один ребенок».

B Мать плачет у приюта для младенцев после того, как оставила там своего ребенка; Гуанчжоу, провинция Гуандун в Китае, 2014 год. Для снижения числа младенцев, брошенных на улице, были организованы детские приюты. У новорожденных девочек риск остаться на улице или стать жертвой детоубийства был выше, чем у мальчиков, поскольку девочки считались большей обузой для родителей, а политика одного ребенка не позволяла семье родить сына после рождения первой дочки. Политика была отменена в конце 2015 года.

NOTICE

NO PERSON WILL BE ALLOWED
TO DESCEND THIS MINE UNLESS
CARRYING SELF RESCUING
APPARATUS.

C G M

ADING OF Nº 5 CAGE

- 36 MEN PER DECK.
- L - 3---3 TON MINE CARS
- 2---3 TON MINE CARS

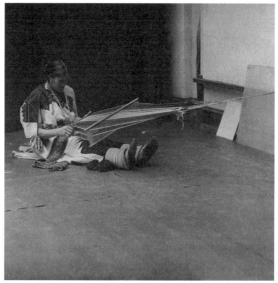

A

В этой главе мы остановимся на отдельных индивидах и группах людей, чья гендерная идентичность и/или проявление выходит за рамки или совмещает в себе черты традиционных гендерных ролей, демонстрируя, что традиционная социальная конструкция гендера как «выбора» между мужским и женским в сегодняшнем обществе часто несовместима с повседневным опытом, идентичностью и решениями людей.

Гендерные системы на Западе основаны преимущественно на бинарной модели, в которой мужчина и женщина — единственно возможные и принципиально отличные категории. Как показывают исследования, не все гендерные системы в мире сложились подобным образом.

На протяжении человеческой истории существовало множество сообществ, в которых гендерные практики выходили за рамки только одной гендерной модели — мужчины и женщины. Например, в индийской мифологии и истории общества в целом отчетливо прослеживается гендерное разнообразие.

Гендерная система — совокупность различных видов поведения, ролей и взглядов на место мужчин и женщин в обществе.

Хиджра — термин в Юго-Восточной Азии, описывающий человека, которому при рождении присвоен мужской пол, но который идентифицируется и живет как женщина. На протяжении истории в регионе проживало много сообществ хиджра, существуют они и сегодня.

Третий пол — юридическая или социальная гендерная категория, которая не относится ни к мужчинам, ни к женщинам. Существует в обществах, где такая гендерная роль существовала исторически, и в обществах, где недавно признали право некоторых членов не определять себя ни как мужчина, ни как женщина.

Джейкоб Оглз в своей статье «Девятнадцать ЛГБТ божеств индуизма» («19 LGBT Hindu Gods»; 2016) отмечает: «Индуистская литература, мифология и религиозные тексты веками описывали божеств, отрицающих бинарность гендера». В частности, в индийской культуре община хиджра имеет давнюю историю.

Первые упоминания о хиджра встречаются в Камасутре, написанной около II века н. э., а также в Рамаяне (около 300 года до н. э.) и Махабхарате (около 400 года н. э.). Согласно исследованию Серены Нанда, проведенному в 2010 году, большинству в сообществе хиджра при рождении присваивается мужской пол, хотя среди них встречаются и интерсекс индивидуумы. Нанда выяснила, что хиджра живут сплоченными сообществами, формируя, в ее терминах, «институциализированную третью гендерную роль». Исторически хиджра считали асексуальными и наделяли их особыми священными качествами, однако в современном индийском обществе многие из них занимаются секс-работой и отправлением определенных религиозных обрядов. В 2014 году они были юридически признаны в Индии в качестве третьего пола. Впрочем, не все хиджра согласны с такой классификацией.

В

A   Ве-Вха — представитель североамериканского коренного народа зуни, «две души», XIX век. В традициях коренных американцев гендерно-вариативные и интерсекс-люди пользовались большим уважением и считались особенно одаренными в духовном плане.

B   Эта группа хиджра из Южной Азии, где этим термином называют трансгендеров и интерсексуалов. Традиционно уважаемые члены общества, многие хиджра сегодня страдают от дискриминации и нищеты.

A

Многие культуры признают существование более двух полов.

Во многих частях Латинской Америки издавна существуют травести. Исторически травести воспринимались как мужчины и женщины одновременно, но сегодня их, как и индийских хиджра, часто относят к третьему полу. В культуре сапотеков, существовавшей на территории Мексики до испанской колонизации, муше были традиционно признанным третьим полом, хотя сегодня это слово иногда используют как синоним транссексуалов. В некоторых полинезийских культурах схожее место традиционно занимали маху, а в самоанском обществе фаафафины выполняли конкретную культурную функцию: согласно обычаю, если в семье не хватало девочек для ведения хозяйства, одного из сыновей воспитывали как фаафафина, прививая ему и мужские, и женские черты. Словом «катой» (kathoey) в Таиланде и Лаосе называют разные небинарные идентичности. Также документально засвидетельствованы проявления гендерной вариативности в Китае, Иране, Индонезии, Японии, Непале, Южной Корее и Вьетнаме. В Индонезии, самой многонаселенной мусульманской стране мира, вария, которым при рождении присваивается мужской пол, открыто живут как женщины.

Травести — в некоторых южноамериканских культурах люди с женской идентичностью, которым при рождении присвоен мужской пол. Травести часто прибегают к имплантатам или инъекциям силикона, чтобы выглядеть более женственно, но могут и не определять себя полностью как женщина или мужчина, а объявлять себя отдельным гендером со своими правилами.

Муше (muxe) — гендерная идентичность, принятая у сапотеков, малочисленного коренного населения Мексики. Муше при рождении присваивают мужской пол, но они перенимают некоторые черты женского поведения: носят женскую одежду и макияж, занимаются традиционно женской работой, например вышиванием. Муше также относятся к третьему полу благодаря сочетанию мужского тела и характеристик обоих полов.

Маху (mahu) — буквально «посередине» — идентичность третьего пола в гавайской и таитянской культурах. Маху традиционно пользовались уважением за способность сочетать в себе мужские и женские черты, играли особую роль в жизни общества.

Фаафафин (fa'afafine) — признанная гендерная идентичность в Самоа. При рождении им присваивается мужской пол, но семья решает воспитывать их как девочек, чаще всего в случае, если в семье много сыновей и нет дочерей — либо они сами принимают такое решение. Фаафафины перенимают женские черты поведения и выполняют задачи, традиционно связываемые с женственностью. Некоторые из них, но не все, идентифицируют себя как женщины.

Вария — сообщество людей третьего пола в Индонезии, которым при рождении присваивается мужской пол, но которые считают, что обладают женской душой. Вария также включает людей, которые на Западе считались бы женоподобными мужчинами-геями. Многие вария отказываются от хирургической операции по смене пола по религиозным соображениям.

Термин **«две души»** (англ. two spirit) описывает разные смешанные гендерные роли и группы, встречающиеся у многих коренных народов США и первых наций Канады. Определение «две души» пришло на смену устаревшему и некорректному названию «бердаши», которым изначально пользовались колонизаторы.

Говоря о гендерной вариативности, важно учитывать контекст местных представлений и практик.

Например, у многих коренных американских народов традиционно существовал целый спектр гендерно-вариативных сообществ, в том числе зуньи-ла'мана, винкте, алиха и хваме. Первые французские завоеватели, а позднее и другие колонизаторы стали называть представителей этих категорий общим термином «бердаши» (во французском языке слово «berdache» означало младшего партнера в мужских гомосексуальных отношениях). Сегодня представители этих сообществ, как правило, предпочитают зонтичный термин «две души», учитывая колониальные и уничижительные коннотации слова «бердаши». Соплеменники почитали таких людей, а присутствие женской и мужской души в одном теле считалось благословением, но в XX веке европейско-американское и христианское влияние нарушило эту традицию.

A   Свадьба трансгендерной женщины и ее жениха в мексиканской рыбацкой деревне Хучитан, где действует матриархат и принято гендерное разнообразие; 2002 год.

B   Представитель вария наносит макияж согласно традиции сьявалан, Джокьякарта, Индонезия, 2015 год.

B

A

Вплоть до конца XX века в антропологических исследованиях гендерно-вариативные практики часто считались персонификацией однополого влечения.

В некоторых исследованиях гендерно-вариативных сообществ коренных американцев эти культурные традиции рассматриваются как выражение гомосексуального стиля жизни в частности потому, что люди с «двумя душами», которые биологически были мужчинами, но переняли женские черты, часто вступали в брак с мужественными мужчинами, и наоборот. Некоторые геи и лесбиянки из числа коренного американского населения называют себя «две души», чтобы подчеркнуть традиционное для их культуры уважение к альтернативному сексуальному и гендерному стилю жизни. Другие антропологи, которые, напротив, относят такие сообщества к транссексуальной культуре, оспаривают позиционирование людей с «двумя душами» как праотцов гомосексуалов.

в

Впрочем, понятие «транссексуальность» появилось на Западе относительно недавно. Более современный подход позволяет предположить, что «две души» не связаны ни с гомосексуальными, ни с трансгендерными практиками, а демонстрируют существование альтернативной гендерной и сексуальной классификации в культуре коренных народов, у которой нет западного аналога.

Гендерно-вариативные практики часто путают с гомосексуальностью, особенно в западной культуре.

A   Хиджра репетируют танец, готовясь к выступлению на шоу талантов в рамках «Хиджра Прайд», третьего секс-парада, организованного в поддержку признания хиджра на государственном уровне. Бангладеш, 2014 год.

B   «Хиджра Прайд» 2014 года был организован Ассоциацией социальной защиты Банду. На фото хиджра готовятся к параду.

A

Путаница отчасти объясняется тем, что во многих обществах понятия гендера и сексуальности тесно связаны. Если трансгендер, поменявший пол с мужского на женский, при этом сохраняет влечение к женщинам, то в глазах общества он также меняет свою ориентацию с гетеросексуальной на гомосексуальную, хотя в действительности сексуальная ориентация остается неизменной.

Развитие сексологии в Европе и США в XX веке, вероятно, было еще одним фактором, в результате которого появились новые способы толкования гендерной вариативности.

В Европе в период до промышленной революции нормы сексуального и нравственного поведения считались прерогативой Церкви. С появлением сексологии вопросы сексуальности перешли из религиозно-нравственной юрисдикции в научную. В XIX веке главными общественными и судебными экспертами в вопросах сексуальных норм и сексуальных отклонений стали ученые и врачи. В своем труде «История сексуальности» (1976) философ Мишель Фуко (1926–1984) утверждает, что в этот период сексуальность стали определять согласно типам и идентичностям, а не через поступки и поведение.

Сексуальность стала не набором совершенных нами действий, а ключевым аспектом того, кем мы являемся.

Такой тип восприятия сексуальности отра-
жал бинарную биологическую модель. Сексуальность стала классифицироваться в двух
категориях — «нормальная» и «девиантная»:
ведущий к деторождению гетеросексуальный
секс в браке был нормой, а остальные проявления сексуальности считались отклонениями.
Множество сексуальных практик патологизи-
ровались. Кросс-дрессинг и кросс-гендерные
практики рассматривались как симптомы гомосексуальности. Гомосексуальность, а с ней
и гендерная вариативность воспринимались
как ущербное подражание гетеросексуально-
сти, возникающее из-за биологической непол-
ноценности. Гомосексуальность и анальный
секс исторически часто криминализировались
и считались противоестественными, а развитие сексологии привело к медикализации,
патологизации и медицинскому обоснованию
гомосексуальности и гендерной вариативности как отклонения от нормы.

A

B

В сексологии значительное место занимало понятие инверсии.

Сексуальную инверсию связывали с врожденной подменой гендерных признаков: мужчины-инверты имели склонность к традиционно женским занятиям и облику, и наоборот. Об этом свидетельствует работа выдающегося сексолога Генри Хэвлока Эллиса (1859–1939), опубликованная в семи томах под названием «Исследования по психологии пола» («Studies in the Psychology of Sex») в 1897–1928 годах. По его словам, «инверсия представляет собой сексуальный инстинкт, который в силу врожденных конституциональных аномалий обращен к лицам того же пола». В том же духе сексолог Рихард фон Крафft-Эбинг (1840–1902) в 1898 году описывал гомосексуальность как результат женской сексуальной инверсии, когда «мужская душа живет в женском теле». В ранней сексологии гендер и сексуальность были неразрывно связаны: мужчина-гомосексуал считался искусственно женоподобным; а лесбиянка — мужеподобной.

Концепция сексуальной инверсии вскоре получила признание и в более широких общественных кругах, отразившись в культурных продуктах того времени, о чем можно судить по роману «Колодец одиночества» (1928) Рэдклифф Холл (1880–1943).

A Ирландский писатель, поэт и драматург Оскар Уайльд был осужден за содомию в Лондоне в 1895 году, после того, как были обнародованы его письма к любовнику. Его осудили на десять лет, которые он провел на каторжных работах в Рединской тюрьме.

B Автопортрет Клод Каон (1928). В ее работах встречаются разные гендерные идентичности и персонажи.

C Рэдклифф Холл с Уной Винченцо, леди Трубридж, 1927 год. Холл и Трубридж жили вместе в Лондоне и Восточном Суссексе. Холл наиболее известна своим полуавтобиографическим романом «Колодец одиночества». Книга описывает транс- и гомосексуальные идентичности в XIX веке как вид сексуальной инверсии.

В романе рассказывается история «инверта» Стивена Гордона, женщины по рождению, которая с детства мечтала стать мальчиком. По мере взросления ее андрогинность, или гендерная нейтральность, усиливалась, и у нее завязались романтические отношения с женщиной, Мэри. Книга описывает, как Стивен «ненавидит свое тело, свои мускулистые плечи, маленькую грудь и поджарые атлетические бедра. Всю жизнь ее тяготило это тело, как чудовищные кандалы, сковывающие ее душу». Предисловие было написано Хэвлоком Эллисом, который называет эту книгу «первым английским романом, который совершенно правдиво и бескомпромиссно описывает одну из сторон окружающей нас сексуальной жизни».

Влияние сексологии на роман заметно в двух ключевых аспектах: во-первых, в представлении о женской гомосексуальности как об инверсии; во-вторых, во взаимосвязи гендера и сексуальности.

В Британии того времени работы по сексологии и культурные формы, затрагивающие тему негетеросексуальных или гендерно-вариативных практик, считались непристойными и преследовались согласно Закону о непристойных публикациях 1857 года. «Колодец одиночества» запретили по этому закону сразу после издания, а судья на заседании сказал: «Я без малейшего колебания заявляю, что эта книга — непристойная клевета, призванная развратить всякого, в чьи руки она попадет, и что ее публикация является преступлением против общественной морали...»

Инверсия — термин, использовавшийся в ранних сексологических исследованиях для описания женской и мужской гомосексуальности. Инверсия представляет гомосексуальность как внутреннее искажение внешних гендерных признаков и объединяет гендер и сексуальность.

с

В то время гендерно-вариативные практики не регули-
ровались юридически, но стали предметом того, что Фуко
назвал медикализацией сексуальных «особенностей».

Хотя практики кросс-дрессинга и кросс-
гендерные проявления уходят корнями
глубоко в историю, термин «трансве-
стизм» появился в медицине только
в 1910 году, а «транссексуальность» —
в 1950-м.

В 1910 году был опубликован эпохальный труд
«Трансвеститы», в котором сексолог Магнус
Хиршфельд (1868–1935) впервые классифицировал
практику кросс-дрессинга.

А

В

В своем исследовании Хиршфельд определяет трансве-
стизм как «желание перенять внешние проявления пола,
противоположного тому, на который указывают половые
органы субъекта». Хэвлок Эллис также оспаривал обще-
принятое представление о связи между кросс-дрессингом
и однополым влечением.

Кросс-дрессинг и кросс-гендерные практики стали объектом медицинского вмешательства как в плане диагностики, так и лечения.

Как уже обсуждалось, гендерно-вариативные, или интерсексуальные, индивидуумы играют уникальную рели-
гиозную роль в культуре индуистских народов и в племе-
нах коренных американцев.

В древнегреческой мифологии также встречаются многочисленные отсылки к андрогинности, кросс-гендерным практикам и интерсексуальности. Например, божество Афродитус — одна из ипостасей традиционно представленной женственной Афродиты — изображался с женской грудью и пенисом. Многие источники того времени утверждают, что во время жертвоприношений Афродитусу мужчины и женщины обменивались одеждой и гендерными ролями.

Помимо религии, в греческой античности берет свое начало история театрального переодевания, когда мужчины-актеры исполняли и мужские, и женские роли. Кросс-дрессинг встречается в японском театре кабуки и китайской опере династии Юань. То же можно сказать об Англии эпохи Возрождения: в шекспировских пьесах «Венецианский купец», «Как вам это понравится», «Двенадцатая ночь» и других мужчины-актеры играли роли женщин, переодевшихся мужчинами, — этакая двойная рокировка. Позднее, в XVIII веке, среди мужчин высшего сословия было принято носить искусно расшитую одежду, парик, макияж и драгоценности. Такие украшения не указывали на гомосексуальность, как это стало позже, но подчеркивали богатство и престиж.

A

Андрогинность — сочетание типично мужских и типично женских черт. Чаще всего описывает человека или существо со смешанным, неопределенным или отсутствующим гендером.

в

A На этом портрете актеры кабуки 1890-х годов в образе женщины и самурая, оба в гриме и многочисленных украшениях. В театре кабуки и мужские, и женские роли традиционно исполняют мужчины.
B Сцена из комедии Шекспира «Двенадцатая ночь», изображающая герцога Орсино и его возлюбленную Виолу, переодетую мальчиком, работы художника и книжного иллюстратора Ричарда Фредерика Пикерсгилла, XIX век. В Англии эпохи Ренессанса мужчины часто выступали в роли женских персонажей, а переодевание Виолы придавало сюжету дополнительный смысловой уровень.

В истории были случаи, когда женщины переодевались и выдавали себя за мужчин, чтобы получить доступ к мужским профессиям или досугу, недоступному для женщин.

Хорошо известный (но, возможно, вымышленный) пример — Хуа Мулань, девушка из Северного Китая, которая переоделась в мужчину, чтобы спасти от воинской повинности пожилого отца. В Британии Ханна Снелл (1723–1792) присоединилась к Королевской морской пехоте под именем Джеймса Грея и сражалась как солдат в 1747–1750 годах. Снелл была комиссована из-за ранения и получала военную пенсию. После смерти американского джазового музыканта Билли Типтона (1914–1989) выяснилось, что у него от рождения было женское тело. Предположительно, Типтон еще в юности решил, что у него будет больше возможностей преуспеть, будучи мужчиной, а не женщиной.

A MORNING FROLIC, or the TRANSMUTATION of SEXES.
From the Original Picture by John Collet, in the possession of Carington Bowles.

A Иллюстрация под названием «Утренняя забава, или Превращение полов» («A Morning Frolic, or the Transmutation of the Sexes»); около 1780 года, неизвестный художник, копия оригинальной работы Джона Коллетта. Изображает солдата и женщину, обменявшихся «исподним» (повседневной одеждой).

B Два портрета Лили Эльбе около 1928 года, предположительно работы ее жены, датской художницы Герды Вегенер. В 1930 году Эльба перенесла одну из первых в мире операций по изменению пола в берлинском Институте сексуальных наук. Операция проводилась под наблюдением выдающегося сексолога Магнуса Хиршфельда. После нее брак Эльбе и Вегенер признали недействительным, поскольку закон не признавал браков между женщинами.

В обществе существовали разные пространства для подобных практик. Так, исследователь сексуальной истории Иэн Маккормик пишет о клубах, известных в XVIII и XIX веках как «дома молли» (molly houses), в которых мужчины могли переодеваться в женщин. В 1920-е годы многие влиятельные писательницы, художницы и женщины-философы — в том числе Вирджиния Вулф (1882–1941), Рэдклифф Холл и Глюк (1895–1978), — представали в андрогинных образах и носили одежду мужчин среднего класса того времени: костюмы, рубашки, жилеты, галстуки и броги.

В 1930-х годах благодаря развитию медицинских технологий в Западной Европе стали возможны операции по «смене пола», как это тогда называли; теперь изменить можно было не только одежду или стиль жизни, но и физическое строение тела.

Датская художница Лили Эльбе (1882–1931) стала одной из первых известных транс-женщин, перенесших серию операций по хирургической коррекции пола (как их называют сегодня), начавшихся под наблюдением Магнуса Хиршфельда в Германии.

Изменения тела стали частью более масштабных перемен в понимании гендерной телесности и идентичности.

К 1960-м годам операции по коррекции пола стали более доступными, а людей, которые ей подверглись, стали называть транссексуалами. Тогда же американские исследователи стали активно изучать трансгендерные практики. Среди самых выдающихся трудов этого периода можно отметить «Феномен транссексуальности» («The Transsexual Phenomenon»; 1966) Гарри Бенджамина (1885–1986), «Пол и гендер» («Sex and Gender»; 1968) Роберта Столлера (1924–1991) и «Транссексуальность и коррекция пола» («Transsexualism and Sex Reassignmen»; 1969) Ричарда Грина (род. 1936) и Джона Мани (1921–2006).

в

Все эти книги описывали транссексуалов как людей, родившихся «не в своем теле».

Хирургическая операция считалась подходящим лечением. Она позволяла привести тело в соответствие с гендерной идентичностью. Так или иначе, гендерная вариативность оставалась формой патологии.

В книге «Трансгендерные мужчины и FTMs» («Transmen and FTMs»; 1999) транс-мужчина Джейсон Кромвель так описывает свои поиски информации о переходе: «Я пытался выяснить, смогу ли рассчитывать на гормональную и хирургическую терапию, если не признаю себя психически нездоровым человеком (с психозом, неврозом, шизофренией и галлюцинациями, со склонностью к извращениям и приступам депрессии и паранойи), сознательно идущим на хирургическое увечье».

A Студенческий марш у Института сексуальных наук Хиршфельда в Берлине. В 1933 году Немецкий студенческий союз объявил борьбу с «антинемецкими» настроениями. Студенты сжигали научную и художественную литературу, которая, по их мнению, порочила чистоту немецкой нации. Эти события стали предвестником нацизма.

B В 1950 году Джордж Йоргенсен отправился из Нью-Йорка в Данию, чтобы пройти серию операций по изменению пола. Серия фотографий представлена в формате «до» и «после», к которому СМИ часто прибегают и сегодня.

B

Несмотря на то что с начала XX века исследования гендера и сексуальности ушли далеко вперед, изменить предложенную в сексологии модель оказалось непросто.

Представления о гендере и сексуальности по-прежнему тесно переплетены, и во многих современных теориях сексуальность до сих пор связывается с гендером.

Например, социобиолог Саймон Левей (род. 1943) предлагает теорию «гей-гена», согласно которой гомосексуальная ориентация у мужчин вызвана размером определенных клеток мозга. В своей генетической теории Дин Хэймер (род. 1951) также предлагает биологическое обоснование сексуального поведения, утверждая, что у геев меньше X-хромосом, чем у мужчин-гетеросексуалов. Это положение связывает мужскую гомосексуальность с биологическими особенностями мужского пола, подразумевая, что геи генетически более «женственны», чем гетеросексуалы.

Идею о том, что геи «такими родились», поддерживают некоторые сегменты ЛГБТКИ-сообщества, использующие ее как аргумент против дискриминации.

Однако у биологической модели сексуальности не меньше противников, чем у биологической модели гендера.

В 1940–1950-х годах американский сексолог Альфред Кинси (1894–1956) опубликовал «Отчеты Кинси» («Kinsey Reports»), в которых предположил, что сексуальность — это континуум. Хотя многие люди располагаются либо на одном (гетеросексуалы), либо на другом (гомосексуалы) конце шкалы, огромное количество людей, как утверждает Кинси, находятся между двух полюсов (бисексуалы). В книге «Сексуальное поведение самца человека» (1948) Кинси пишет: «Люди не делятся на две обособленные группы — гетеросексуальную и гомосексуальную. Мир не делится на козлов и баранов. Фундаментальное правило таксономии — природа редко имеет дело с дискретными категориями».

Исследования в социальных науках также позволяют утверждать, что сексуальность обладает текучестью, то есть люди могут выбирать и выбирают свою сексуальную ориентацию.

A   Исследование сексолога Альфреда Кинси «Сексуальное поведение самки человека» («Sexual Behaviour in the Human Female»), опубликованное в 1948-м следом за «Сексуальным поведением самца человека» («Sexual Behaviour in the Human Male»). Эти две работы стали широко известны как «Отчеты Кинси».

B   Фотоальбом «О! Доктор Кинси!» («Oh! Dr. Kinsey!»; 1953) автора Лоуренса Лариара изображал комичную реакцию женщин на вопросы, подобные тем, что должны были задавать Альфред Кинси и его коллеги в ходе своих исследований. Отчеты Кинси привлекли внимание общественности к таким сторонам сексуальной жизни, как внебрачные связи, однополые отношения и измены. Книги вызвали одновременно и шок, и восторг у американской публики 1950-х годов.

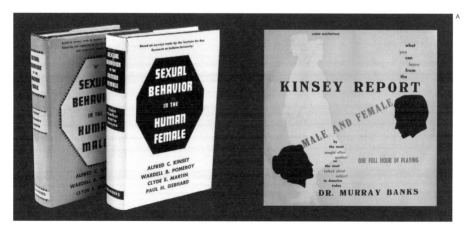

A

Социологи Линда Гарнетс и Энн Пепло в 2006 году представили результаты изучения женской сексуальности, согласно которым ориентация женщин скорее гибкая, а не жестко установленная. На нее влияет жизненный опыт, социальные и культурные факторы, такие как «образование женщины, ее социальный статус и властное положение, экономические возможности и представления о женской роли». С этой точки зрения, сексуальная идентичность, предпочтения и практики могут меняться на протяжении всей жизни человека, как могут меняться гендерная идентичность и опыт.

Можно сказать, что гендер и сексуальность представляют собой два отдельных, но тесно переплетающихся спектра.

Но эта аналогия не учитывает асексуальный и агендерный опыт — термины, которые в последние годы всё больше входят в обиход.

ЛГБТКИ — аббревиатура, означающая лесбиянки, геи, бисексуалы, транссексуалы, квиры (queer или questioning, сомневающиеся) и интерсекс. К сокращению могут добавляться другие буквы и символы для включения большего числа категорий идентичности: например, «А» для асексуалов или агендеров или «+», чтобы указать на ряд возможных идентичностей и ориентаций.

Асексуальный человек испытывает слабое сексуальное желание или влечение либо совсем его не испытывает. Асексуальность является одним из видов сексуальной ориентации, как гетеро- или гомосексуальность. Асексуальные люди могут испытывать (или не испытывать) романтическую привязанность, которая не обязательно связана с сексуальным влечением.

в

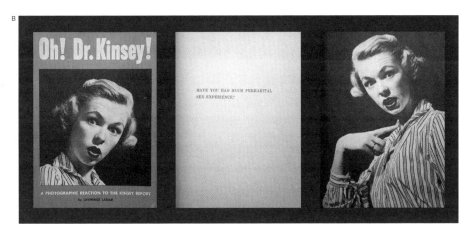

ПОЛ

| Мужской | Интерсекс | Женский |

ГЕНДЕРНАЯ ИДЕНТИЧНОСТЬ

| Мужчина/мальчик | Трансгендер/гендерквир/«две души» и т. д. | Женщина/девочка |

ГЕНДЕРНОЕ ПРОЯВЛЕНИЕ

| Мужское | Андрогинное | Женское |

СЕКСУАЛЬНАЯ ОРИЕНТАЦИЯ

| Влечение к женщинам | Влечение к обоим/всем полам/ни к одному из полов | Влечение к мужчинам |

Хотя асексуальная ориентация, вероятно, не новость, благодаря интернету стали формироваться асексуальные сообщества, самым крупным из которых стала основанная в 2001 году «Сеть по распространению информации об асексуальности» (Asexual Visibility and Education Network, или AVEN). Эта организация нацелена на «создание общественного принятия и дискуссий об асексуальности, а также на укрепление асексуального сообщества». Так, некоторые представители этого сообщества настаивают на добавлении буквы «А» в аббревиатуру ЛГБТКИ, чтобы обеспечить присутствие асексуальности в качестве одного из видов сексуальной идентичности.

Схожим образом термином «агендер» обозначают себя люди, которые не ощущают никакой гендерной идентичности.

A Альфред Кинси считал свое исследование подтверждением того, что человеческая сексуальность представляет собой спектр, а не бинарность «гомо- vs гетеросексуальность». Эти спектры аналогичным образом отражают разные аспекты гендера. Такие линейные схемы тоже изображают гендер в виде бинарности, подразумевая, что небинарные вариации находятся между полюсами мужского и женского.

B Эта нелинейная схема изображает гендерную идентичность как совокупность пересекающихся между собой возможностей, а не как бинарную модель мужского и женского.

C На рисунке показаны возможные связи между полом и сексуальностью, включая женские, мужские и интерсексуальные вариации. Асексуальность, однако, в эту систему не входит.

Агендер

Маскулинный агендер

Фемининный агендер

1

Мужской

2

Неопределенный и/или все

3

Женский

Маскулинный гендерфлюид

4

Фемининный гендерфлюид

Гендерфлюид

ПОЛ НЕ УТОЧНЯЕТСЯ

Андрофильный

Гинофильный

Андрофильные (гомосексуальные) мужчины

Амбифильный

Гинофильные (гомосексуальные) женщины

Мужской

Амбифильные (бисексуальные) мужчины

Амбифильные (бисексуальные) женщины

Женский

Амбифильные (бисексуальные) интерсекс

Гинофильные (гетеросексуальные) мужчины

Андрофильные (гетеросексуальные) женщины

1

2

Интерсекс

СЕКСУАЛЬНАЯ ОРИЕНТАЦИЯ НЕ УТОЧНЯЕТСЯ

1 Гендерфлюидный агендер

2 Неопределенный и/
или агендер/
маскулинный гендерфлюид/
гендерквир

3 Неопределенный и/
или агендер/
фемининный гендерфлюид/
гендерквир

4 Гендерфлюидный агендер

1 Гинофильный интерсекс

2 Андрофильный интерсекс

Если в общий набор включить агендеров и асексуалов вместе с гендерфлюидами и гендерфлаксами, которые по определению не вписываются в общий спектр, то гендерную идентичность и сексуальную ориентацию следует понимать как индивидуальную для каждого человека комбинацию сложных сочетаний личных черт. Комбинации этих признаков бывают «более женственными», «более мужественными», не теми и не другими; они могут быть «более гетеросексуальными», «более гомосексуальными» или вне этих категорий. У человека может быть много «мужских» гендерных признаков и при этом несколько «женских» (или наоборот), может быть поровну тех и других или превалировать «гендерно-нейтральные» черты; то же самое можно сказать и о сексуальности. Сочетание всех этих признаков формирует гендерную идентичность и сексуальную ориентацию. Поскольку мы всё лучше разбираемся в этом вопросе, наличие разнообразных комбинаций в последнее время привело к расширению терминологии для описания гендерной идентичности и сексуальной ориентации.

С повышением осведомленности о сложной структуре гендера, всё больше распространяется идея о его изменчивости, отражаясь даже в британской и американской поп-культуре. Актриса и певица Майли Сайрус (род. 1992) высказалась в пользу текучести гендерной идентичности, заявив: «[Сегодня] можно просто быть кем захочешь». В интервью журналу *Out* Сайрус поясняет: «Я не отношу себя к тем, кого общество определяет как мальчика или девочку: не то чтобы я ненавижу быть девочкой, но я ненавижу ограничения, которые предполагает категоризация».

A

Актриса Тильда Суинтон (род. 1960) тоже не относит себя ни к женщинам, ни к мужчинам. В одном из интервью она сказала: «Не уверена, что вообще когда-нибудь была девочкой. Долгое время я была кем-то вроде мальчика. Не знаю. А кто знает? Все меняется». Австралийская актриса и модель Руби Роуз (род. 1986) утверждает: «Я — настоящий гендерфлюид, а когда просыпаюсь по утрам, мне кажется, я что-то вроде нейтрального гендера».

Джей Ди Сэмсон (род. 1978), участница групп Le Tigre и MEN, называет себя «постгендер» и считает бинарную модель мужчина/женщина устаревшей. О своем гендерном непостоянстве заявляют не только молодые люди: комик Эдди Иззард (род. 1962), например, говорит, что он «целый мальчик плюс половина девочки», художник Грейсон Перри (род. 1960) часто появляется в обличье своего альтер эго Клэр, а музыкант Пит Таунсенд (род. 1945) как-то заметил: «Я знаю, каково быть женщиной, потому что я и есть женщина. И не позволю называть меня только мужчиной». Не только в Великобритании, Австралии и США, но и по всему миру знаменитости выступают за небинарную гендерную идентификацию, среди них бразильская модель Леа Ти (род. 1981) и канадский писатель Рэй Спун (род. 1982).

Несмотря на всё более широкое признание гендерной вариативности, это по-прежнему спорная тема.

В частности, вопрос гендерного дискомфорта среди детей вызывает разногласия во врачебной среде, привлекает внимание со стороны общества и провоцирует дискуссии.

Хотя не все дети подчиняются гендерным стереотипам, тем, кто не ведет себя в соответствии с гендерными нормами, грозит изоляция от сверстников, порицание учителей или родителей. У подростков это может стать причиной низкой самооценки, деструктивного поведения и даже самоубийств. Согласно отчету благотворительной организации Стоунволл, восемь из десяти молодых людей ЛГБТК наносят себе травмы или пытаются покончить с жизнью из-за травли. У них также выше риск стать бездомными.

A   Британский музыкант Дэвид Боуи со своей женой Энджи и трехнедельным сыном Зоуи, 1971 год. Он одет в широкие брюки, турецкую хлопковую рубашку и фетровую шляпу. Многократно перепечатанные фотографии Рона Бертона показывают, как оба родителя бросают вызов гендерным границам.

B   Клэр, женское альтер эго художника Грейсона Перри, лауреата Премии Тёрнера. Фото сделано во время организованного *The Guardian* Хэй-фестиваля в Великобритании, 2004 год. Перри всегда любил переодеваться и придумывать для Клэр всё более экстравагантные образы. «Для меня переодевание — это выражение подсознания», — говорит художник.

B

Лондонский Центр развития гендерной идентичности специализируется на помощи детям, у которых возникли трудности с гендерным самоопределением. В первый год работы в 1982 году в обеих клиниках Центра зарегистрировали два обращения. В 2015–2016 годы число обращений достигло 1400, вдвое больше, чем годом ранее. Почти 300 из этих детей были младше 12 лет. В Канаде в 2016 году в суд по семейным делам за изменением гендерного статуса обратилось в шесть раз больше молодых людей, чем в 2015 году. Растущее внимание общественности и перемены в социальных установках помогают семьям, школам и самим детям лучше ориентироваться в вопросах гендерной вариативности.

Так, в Швеции политика против дискриминации на почве гендерной вариативности привела к появлению детских садов, где применяется гендерно-нейтральный подход. Детям не читают книг, основанных на гендерных стереотипах; во всех занятиях их побуждают принимать равное участие; а не имеющее конкретного рода шведское местоимение «hen» используется наравне с «он» и «она». За такой метод воспитания высказываются многие специалисты в области детской гендерной идентичности. Однако инициатива о признании детской гендерной вариативности порождает огромное количество противоречий.

A

С одной стороны, дети гендерно вариативны от природы, поскольку общество еще не успело привить им нормы гендерно-бинарной системы. С этой точки зрения растущее число детей, обращающихся в центры гендерной поддержки, означает, что дети наконец стали получать помощь, в которой они так долго нуждались.

Иными словами, дело вовсе не в том, что среди детей стало больше трансгендеров, а в том, что трансгендерные дети перестали молча страдать.

A Фотографии из продолжающегося проекта голландской фотохудожницы Сары Вонг под названием «Наизнанку: портреты кросс-гендерных детей». Слева направо: «Принцесса на белом коне», «Девочка», «Мальчик в плавках» и «Мальчик». Проект начался в 2003 году, когда Вонг наблюдала за группой голландских трансгендерных детей в их поисках новой идентичности. «Каждая девочка на этих фотографиях родилась мальчиком, а каждый мальчик был девочкой», — комментирует художница.

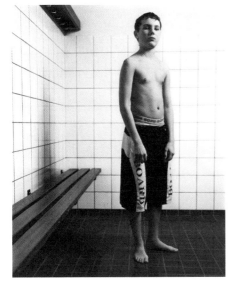

A

С другой стороны, есть повод для беспокойства.

Существует версия, что дети не могут быть гендерно вариативны, поскольку не осведомлены в этом вопросе. Профессор педиатрии Университета Западного Сиднея Джон Уайтхолл считает диагноз «гендерная дисфория» равносильным жестокому обращению с детьми и называет его «серьезным вмешательством в тело и ум ребенка». Кандидат на должность федерального судьи от президента Трампа Джефф Матир во время дебатов в США открыто назвал трансгендерных детей частью «сатанинского плана».

В этой главе мы рассмотрели сообщества людей третьего пола по всему миру, коснулись феномена кросс-дрессинга в разных культурах, проследили историю технологий кросс-гендерного изменения тела и разобрались в идее небинарного гендера. Это показало нам, что на индивидуальном, субъективном уровне гендерный опыт включает широкое разнообразие практик и может быть гибким и изменчивым.

Что бы мы ни имели в виду под гендером — биологический пол, социально сконструированную роль, личную идентичность или всё сразу, — он изменчив.

Биологический пол не полностью ограничивается мужским и женским.

Социальные гендерные роли непостоянны ни в разных эпохах и культурах, ни даже в одном обществе в один временной отрезок. Гендерная идентичность человека может не соответствовать социальным нормам и может изменяться на протяжении жизни. Эти вопросы получают всё большую осведомленность, растет число гендерных активистов и правозащитников. В главе 4 мы рассмотрим примеры коллективной и индивидуальной гендерной агентности.

Гендерная дисфория — медицинский термин для описания состояния, при котором эмоциональная и телесная идентичность не совпадает с идентичностью, приобретенной при рождении.

А Автобус антитрансгендерной кампании «Свобода слова» ездил по США в 2017 году, но был встречен протестами. Активисты выполнили на нем граффити в поддержку трансгендеров, когда автобус прибыл в Нью-Йорк.

В Книга Джессики Хертел «Я — Джаз» («I am Jazz»; 2015), рассказывающая о жизни трансгендерной девочки Джаз Дженнингс, которая совершила переход в детстве.

В

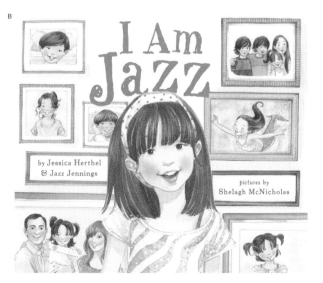

by Jessica Herthel & Jazz Jennings

pictures by Shelagh McNicholas

RESIST
RESIST
RESIST
RESI
In the Name of Human
We REFUSE To Accept
a Fascist America!
DRIVE OUT
UMP/PENCE
EGIME!

4. Гендерный активизм

Club Patriotique de Femmes.

A

«Декларация прав женщины и гражданки» написана Олимпией де Гуж в 1791 году и основана на «Декларации прав человека и гражданина», принятой Национальным учредительным собранием Франции и ставшей одним из первых в мире официальных документов по правам человека. Своей работой де Гуж показывает, что Французская революция не признала права женщин.

В каком-то смысле гендерный активизм существует столько, сколько существует гендерная вариативность.

Гендерные вариации, о которых шла речь в предыдущих главах, всегда находили поддержку отдельных людей и организаций по борьбе за свободу гендерного самоопределения.

Но большинство современных гендерных общественных движений уходят корнями в историю развития феминизма (с конца XVIII века в Европе и США) и движения за права трансгендеров (с конца XIX века связаны с первыми движениями за права ЛГБТК и сексологией).

В конце XVIII века Мэри Уолстонкрафт (см. главу 1), Олимпия де Гуж (1748–1793) и другие женщины выступали за равноправие между мужчинами и женщинами. Де Гуж, чья «Декларация прав женщины и гражданки» вышла в свет в 1791 году, за год до эссе Уолстонкрафт «В защиту прав женщин», призывала мужчин «изучать природные характеристики пола, чтобы убедиться, как они повсюду пересекаются в гармонии и сотрудничестве». В своих многочисленных трудах де Гуж описывает права женщин как часть естественных прав человека.

Борьба за гендерное равенство никогда не ограничивалась деятельностью западных белых женщин высшего класса, даже на самом раннем этапе развития.

Интерсекциональный подход имел особое значение в текстах черного и постколониального феминизма, поскольку рассматривал пересечения гендера и расы. Чернокожие феминистки привлекли внимание общественности к дискриминации женщин по расовому и гендерному признаку на рабочем месте. Многие из первых феминисток участвовали в борьбе за отмену рабства и в движении за социальную справедливость.

A «Женский патриотический клуб» (1791) работы художника Жан-Батиста Лесера. С 1791 по 1793 год француженки собирались в подобных клубах, чтобы поддержать Республику и выступить за равные права для женщин. На картине женщины собирают пожертвования на общее дело.

B Эти керамические и фарфоровые медальоны разработал веджвудский скульптор Уильям Хэквуд в 1787 году в поддержку движения против рабства. Надпись гласит: «Разве я не муж и брат?» Медальоны стали символом аболиционизма — движения за отмену рабства и освобождение рабов.

A Активистка за права женщин Соджорнер Трут часто позировала для портретов, которые потом отпечатывали и распространяли под девизом «Пожертвую тенью ради истинного содержания». Эти фотографии подтверждали статус Трут как «свободной женщины и хозяйки собственного образа».

B Студийный портрет аболиционистки Харриет Табман в молодости во время Гражданской войны в США; 1868–1869 годы.

C Бьюла Фейт, до войны работавшая продавцом в универмаге, настраивает оборудование токарного станка на Объединенной авиастроительной компании; Форт-Уорт, Техас, 1942 год.

История Соджорнер Трут проливает свет на то, как в результате пересечения гендера и расы возникают неблагоприятные условия.

Самую известную свою речь «Разве я не женщина?» Трут произнесла во время выступления на Собрании по правам женщин в Огайо в мае 1851 года: «Вон тот мужчина говорит, что женщинам нужно помогать садиться в экипажи, переносить их через канавы, уступать им везде лучшие места. Никто никогда не помогает мне садиться в экипажи или перешагивать через лужи, не уступает мне лучших мест. А разве я не женщина? Посмотрите на меня! Посмотрите на мои руки! Я пахала и сеяла, я собирала урожай, и ни один мужчина не мог сделать работы больше меня! Разве я не женщина? Я могу работать и есть столько же, сколько мужчина, когда есть что поесть, и выдержать не меньше ударов кнутом! Разве я не женщина? Я родила тринадцать детей и видела, как большинство из них были проданы в рабство, а когда я оплакивала их своим материнским горем, никто, кроме Иисуса, меня не слышал! Разве я не женщина?»

Трут заявляет о своей гендерной идентичности, снова и снова задавая риторический вопрос: «Разве я не женщина?» Но она показывает, что в глазах белых мужчин и женщин ее женственности не существует.

Благодаря усилиям таких женщин, как Трут и Харриет Табман (около 1822–1913) в конце XIX и начале XX века в Европе и Северной Америке стало набирать силу движение суфражисток, боровшихся за женские избирательные права.

Традиционные гендерные роли изменились во время Первой и Второй мировых войн, когда женщины вынуждены были трудиться в промышленности и торговле вместо призванных на службу мужчин. Ожидалось, что в мирное время они вернутся к домашним делам, но опыт женской независимости в военные годы положил начало переменам, которые подорвали незыблемость гендерных ролей и перестроили представления о гендере. В Британии женщины старше 21 года получили право голосовать в 1928 году.

Соджорнер Трут (около 1797–1883) — псевдоним женщины, рожденной в Нью-Йорке и сбежавшей из рабства еще до его отмены в штате в 1828 году. Сыграла значительную роль в раннем движении за права женщин.

В период, который часто называют первой волной феминизма, шла борьба за договорные и гражданские права женщин, что дало почву для развития второй волны феминизма в США и Великобритании в конце 1960-х — начале 1970-х годов. Активизм в это время был широко распространен. Национальная женская организация, Ассоциация за отмену закона об абортах, Коллектив Комбахи-ривер и другие организации в Америке боролись за равные права в семейной, репродуктивной, профессиональной сферах, а также против насилия над женщинами.

Первой волной феминизма называют общественные движения за права женщин XIX и начала XX века. Они фокусировались на юридических аспектах, включая избирательное право, право на собственность, развод и опеку над детьми.

Вторая волна феминизма охватывает период с конца 1960-х до начала 1980-х годов, когда круг проблем расширился до фактического неравенства, вопросов сексуальности и репродуктивных прав.

Коллектив Комбахи-ривер (1974–1980) — группа чернокожих феминисток, многие из которых были лесбиянками; они выступали против расизма в движении белого феминизма. Они создали «Заявление Коллектива Комбахи-ривер» — один из первых документов, призывающих к интерсекциональному подходу, учитывающему все аспекты угнетения.

Вместе с феминизмом второй волны внимание общественности стали привлекать ЛГБТК-организации и издания, которые отстаивали права геев, лесбиянок и трансгендеров.

Луиза Лоуренс (1912–1976) — одна из первых трансгендерных женщин, с начала 1940-х годов жившая исключительно как женщина. Она объединяла широкую сеть кросс-дрессеров и трансгендеров, помогала в исследованиях Альфреда Кинси и Гарри Бенджамина.

Transvestia — независимый журнал для гетеросексуальных трансвеститов, публиковался в 1960-х годах трансгендерной активисткой Вирджинией Принс. Читатели журнала могли поделиться в нем своими историями и фотографиями.

Стоунволлские бунты — серия протестов и жестких столкновений между полицией и членами ЛГБТК-сообщества в 1969 году. Спровоцированные полицейским рейдом в нью-йоркском баре «Стоунволл-Инн», они стали катализатором активизма.

Пионерами в США стали Луиза Лоуренс, ведущая переписку с сообществом трансгендеров в Европе и Америке в 1950-х годах, и Вирджиния Принс (1912–2009), основавшая журнал *Transvestia* в 1960 году. Первая версия журнала вышла еще в 1952-м под названием *Трансвестия: журнал Американского общества равенства в выборе одежды* и считается многими теоретиками, включая Сьюзен Страйкер (род. 1961), отправной точкой движения за права трансгендеров в США. В 1969 году трансгендерные активисты сыграли ключевую роль в Стоунволлских бунтах в Нью-Йорке, привлекших широкое внимание общественности к правам ЛГБТК и послуживших стимулом для появления многочисленных правозащитных организаций.

A На демонстрации за репродуктивные права в 1974 году в Питтсбурге мнения по поводу абортов разделились. Демонстрация состоялась через год после решения Верховного суда по делу Роу против Уэйда в 1973 году, разрешившего аборты в отдельных случаях.

B Обложки журнала *Transvestia*, посвященного, как гласит издание 1963 года, «людям с нормальной ориентацией, которые обнаружили существование [sic] своей "другой стороны" и стремятся ее выразить».

B

А

Феминистские и ЛГБТК-движения конца XX века продвигали идею гендера как изменчивого и гибкого социального конструкта, а не врожденной биологической характеристики. Проблематизация идеи жестких гендерных ролей была важна для феминистских движений, поскольку она оспаривала теорию о предопределенности неравенства между женщинами и мужчинами. А также она была важна и для многих ЛГБТК-сообществ, поскольку подразумевала существование гендерных ролей и сексуальных ориентаций вне цисгендерных и гетеросексуальных «норм».

Общественные движения не ослабевали с середины XX века, и вторая волна феминизма сменилась третьей в 1990-х и 2000-х годах. Современные феминистские движения (которые иногда называют четвертой волной феминизма) продолжают разносторонне развиваться на Западе.

Флешмоб против насилия и сексуальных домогательств #MeToo выявил дисбаланс власти между мужчинами и женщинами, особенно в профессиональной сфере. Чтобы обеспечить большее равенство на рабочем месте, требуются улучшения в системе ухода за детьми и более гибкие условия труда и для мужчин, и для женщин.

Общественные кампании бросают вызов стереотипному представлению о воспитании детей и ведении хозяйства как «женской работы» и о «женской работе» как менее значимой.

Женщинам, следующим традиционным гендерным ролям, сложно претендовать на равенство с мужчинами из-за обесценивания женственности, а мужчинам, в свою очередь, брать на себя традиционно женские роли или проявлять женственные черты без ущерба для собственного статуса.

Гендерные стереотипы усложняют жизнь и женщинам-профессионалам. Британская специалистка по подбору и управлению персоналом Пола Парфитт в 2015 году рассказала о неосознанных предубеждениях, влияющих на отбор кандидатов: «Известно, что женщин-кандидатов работодатели склонны оценивать по опыту, а мужчин — по их потенциалу; кроме того, на собеседовании вопрос о способности совмещать работу и семью женщинам задают чаще, чем мужчинам».

Во многих странах гендерные ожидания, связанные с домашней работой и трудоустройством вне дома, сегодня меняются.

Информационные кампании, часто организуемые феминистками, приводят к признанию ответственности отца за воспитание детей наравне с матерью и узакониванию отпуска по уходу за ребенком для мужчин.

А

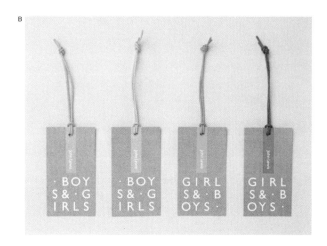

A   Шведская компания Top Toy вы-
пускает гендерно-нейтральные
игрушки, чтобы дети не усваивали
стереотипы во время игры. На кар-
тинках в каталоге изображены
дети с игрушками, которые традиционно ассоциируются с противо-
положным полом.

B   Гендерно-нейтральные ярлыки,
разработанные дизайнером Чар-
ли Смитом для линии детской
унисекс-одежды британской компании John Lewis. В 2017 году John
Lewis стал первым магазином,
отказавшимся от разделения детских вещей по половому признаку, чтобы не укреплять гендерные
стереотипы в детской одежде.

В Швеции, например, для отцов предусмотрен трехмесячный отпуск
по уходу за новорожденным ребенком, в то время как в Великобритании он составляет всего две недели. В Японии и мать, и отец имеют
право на год оплачиваемого отпуска. Однако устойчивые традиционные представления о гендерных ролях и стереотипы нередко препят-
ствуют политике поощрения гендерного равенства. Полным годовым
отпуском в связи с отцовством пользуется меньше 2 % мужчин в Японии. США сегодня — одна из немногих развитых стран, где отпуск
по уходу за ребенком не предусмотрен ни для отца, ни для матери.
Борьба за государственную поддержку обоих родителей остается одним из приоритетных направлений американского феминизма.

Чтобы пошатнуть гендерные стереотипы, феминистские движения также ратуют за гендерно-нейтральные
игрушки и одежду для детей, и рынок начинает реагировать на их требования.

Активисты кампании «Розовый воняет» (The Pinkstinks)
выступают против стереотипа о том, что девочкам
нравятся исключительно розовые игрушки и одежда.
Британский универмаг John Lewis, проанализировав
рыночные изменения, принял решение удалить помет-
ку о поле с ярлыков детской одежды. Эти примеры
убедительно показывают, как отход от общепринятого
толкования гендера может сказываться на способах
проживания гендера.

A

Кроме прочего, такие примеры показывают, насколько яростно отстаиваются традиционные гендерные модели. Решение магазина John Lewis продавать гендерно-нейтральную детскую одежду вызвало бурю негодования в социальных сетях: «Есть только два пола: мужской и женский», — написал один из рассерженных покупателей в Twitter, а другой заявил: «Мой ребенок — мальчик, и одеваться он будет как мальчик: футболки, рубашки, джинсы … кроссовки и тому подобное». Поскольку представления о гендере меняются, жестче становится и защита традиционных гендерных ролей и практик.

Как мы могли убедиться, понимание гендера зависит от культурных особенностей, и проблемы западного феминизма не всегда актуальны для остального мира. Некоторые ставят под сомнение саму возможность глобального феминизма, поскольку универсальный подход к женским проблемам, как правило, основан на теориях экономически развитых стран.

Как объясняет активистка Швета Сингх в статье «Обращение в "скрытый" феминизм: индийские мусульманки в эмиграции» («Transgression into "Hidden" Feminism: Immigrant Muslim Women from India»), выступать за права женщин или бороться за изменение гендерных ролей в глобальном масштабе «сложно по двум причинам: из-за коллективистской природы общества и потому, что самих женщин, помимо сугубо женских и сестринских проблем, занимают еще и вопросы семьи и сообщества» (сборник «Феминизм и миграция», 2012). В 2003 году феминистская писательница Чандра Талпад Моханти (род. 1955) раскритиковала западный феминизм за создание однородной категории «женщин третьего мира». По ее мнению, использование этой категории пренебрегает различиями между женщинами из менее развитых в экономическом отношении стран, лишая тем самым голоса тех, кто сталкивается с трудностями, проистекающими из местной истории, географии и культуры. Этот вопрос — один из ключевых для интерсекционального феминизма (см. главу 3).

A Марш женщин на проспекте Конституции в Вашингтоне 21 января 2017 года, на следующий день после инаугурации Дональда Трампа. Более 470 000 человек вышли на митинг против президента Трампа и его позиции в отношении прав женщин. Плакат на фото свидетельствует о маргинализации небелых женщин внутри феминистского движения (надпись на плакате: «Помните: белые женщины голосовали за Трампа»).

B Семериан Джанет Пере, 17 лет, читает в классе убежища Тасару (Tasaru Safehouse) в Нароке, Кения. Убежище было открыто в 2002 году для девочек, вынужденных скрываться от женского обрезания или детского брака.

Основные вопросы здесь связаны с религиозными и культурными традициями, в том числе с ношением мусульманской одежды, свадебными обычаями, секс-работой, практикой женского обрезания и другими реалиями гендерного опыта женщин в разных странах. Международная кампания по борьбе с женским обрезанием «Немедленно остановите женское обрезание!» («Stop FGM Now!»), возглавляемая Варис Дирие (род. 1965), борется против нанесения увечий женским гениталиям. Другие феминистки, такие как Фуамбай Сиа Ахмаду (род. 1969), утверждают, что необходимо учитывать локальный религиозный опыт и обычаи и что подобные кампании должны вести местные женщины.

B

**Транс-эксклюзивный ради-
кальный феминизм (ТЭРФ)** —
небольшое ответвление в феминистском движении, которое
стремится исключить транс-
женщин из феминизма и отрицает их право посещать женские пространства.

A Участницы женского движения
Femen во время акции у старей-
шей берлинской мечети Ахмадийя,
2013 год. Протест в рамках «Международного дня топлес-джихада»
в Берлине прошел от имени акти-
вистки из Туниса Амины Тайлер,
которой угрожали расправой после того, как она опубликовала
фотографии с обнаженной грудью
в интернете.

B Группа «Мусульманские женщины
против Femen» провела встречный
протест. «От имени мусульманок
и наших сторонников мы должны показать Femen и тем, кто их поддер-
живает, что их действия контрпро-
дуктивны и мы, мусульманки, против
этого», — заявили они.

A

Схожие дебаты разгораются и вокруг ношения никаба.
С точки зрения одних феминисток, никаб символизирует
мужской контроль над женским телом. Другие феминистки
понимают эту практику как самостоятельное решение
женщин и форму сопротивления западным ценностям, что
делает никаб скорее культурным символом гордости,
а не признаком превосходства мужчин.

Так, дискуссии западных феминисток и либералов о проблеме
никаба журналист *The Guardian* Файсал аль-Яфаи называет «одер-
жимостью одеждой», уточняя: «Похоже, никаб стал слабым ме-
стом для многих, в том числе для западных феминисток, которые
инфантилизируют женщин, желающих носить никаб, как мужчины
инфантилизируют женщин в других областях. Им даже в голову
не приходит, что ношение никаба может быть самостоятельным
и обдуманным решением» (2008). Все больше молодых женщин, таких как Ханна Юсуф, ведут в социальных сетях блоги и видеоблоги
о жизни феминисток в никабе.

Интерсекциональность также рассматривает пересечение феминизма и ЛГБТК-активизма, транс- и квир-теорий.

Феминизм критикуют за игнорирование опыта, не вписывающегося в бинарную гендерную модель, а некоторые теоретики феминизма — самая известная из них Дженис Рэймонд (род. 1943) — активно выступают против движения за права трансгендеров. Сторонницы транс-эксклюзивного радикального феминизма — немногочисленного феминистского течения — считают, что транс-женщина не может по-настоящему идентифицировать себя как женщина из-за привилегий, полученных с мужским воспитанием.

в

Но у ЛГБТК и феминистских движений много точек соприкосновения: и те и другие стремятся выявить и преодолеть проблемы традиционных представлений о гендерных функциях.

Транс-авторы, особенно начиная с 1990-х годов, стали открыто писать о сознательном конструировании идентичности в противовес бинарной гендерной модели.

Так, Кейт Борнштейн (род. 1948) в книге «Гендерные изгои» («Gender Outlaw»; 1994) отметает любую классификацию пола, связанную с гениталиями: «Большинство людей определяет мужчину по пенису или его подобию. Женщину часто определяют по наличию влагалища в той или иной форме. Однако не всё так просто. В Сан-Франциско я знала несколько женщин с пенисами. У многих знакомых мне прекрасных мужчин есть влагалище. И есть немало людей, чьи половые органы представляют собой нечто между пенисом и влагалищем». Борнштейн определяет себя ни как родившуюся «не в том теле», ни как принадлежащую к «третьему полу», а как «гендерный изгой».

В книге «Девочка для битья» («Whipping Girl»; 2007) теоретик феминизма транс-женщина Джулия Серано (род. 1967) утверждает, что причиной трансфобии и гомофобии является так называемый сексизм оппозиций, основанный на «превосходстве мужественности над женственностью» и отличный от традиционного сексизма. Работа Серано подчеркивает, каким именно образом транс-теория может касаться проблем людей любого гендера и в чем именно могут совпадать задачи движения за права трансгендеров и феминизма.

Подвергая сомнению традиционные представления о гендере, транс-активизм занимается конкретными трудностями, с которыми сталкиваются гендерно-вариативные люди по всему миру.

Проект «Мониторинг убийств трансгендеров» («Trans Murder Monitoring») собирает данные об убийствах трансгендеров и гендерно-вариативных личностей, публикует обновленную статистику в День памяти трансгендеров, который ежегодно отмечают 20 ноября. С октября 2016 по сентябрь 2017 года в мире было зафиксировано 325 убийств трансгендеров и гендерно-вариативных людей. Самые высокие показатели регистрируют в странах, где ведется такой учет, из чего можно предположить, что в других регионах нет достоверной статистики и реальное число жертв гораздо больше. Публичное поминовение погибших помогает выявлять и осуждать преступления на почве ненависти против трансгендеров и гендерно-вариативных людей.

Трансфобия — страх, неприязнь, предубеждение или негативное отношение к трансгендерам.

Сексизм оппозиций связан с идеей того, что категории мужского и женского являются жесткими и взаимоисключающими. «Каждая из них обладает уникальным и непересекающимся набором свойств, склонностей, способностей и желаний».

A Ночное бдение у Государственного университета Манилы 24 октября 2014 года в честь жестоко убитой транс-женщины Дженнифер Лод.
B Члены Баптистской церкви Вестборо во время протеста на месте Нулевой отметки (Ground Zero, Нью-Йорк). Они считают терроризм божьей карой за гомосексуальность, гендерную и сексуальную безнравственность. Надписи на плакатах: «Педики — проклятие нации», «Самолеты падают, Господь смеется».
C Дом Равенства в Топике, Канзас, располагается прямо напротив Баптистской церкви Вестборо. Он раскрашен в радужные цвета флага гей-прайда.

Кроме риска стать жертвой преступле-
ний на почве ненависти, трансгендеры
и гендерно-вариативные люди часто сталки-
ваются с разными видами институциональ-
ной и индивидуальной дискриминации.

Это может быть насилие (иногда даже поощряемое правительством или полицией), мисгендеринг, недостаточное
или искаженное представление в медиа, непропорцио-
нально высокий риск бездомности и безработицы. В частности, в США в последнее время случаи институциональ-
ной и правовой дискриминации возникают в связи
с законом об общественных уборных и правом трансгендеров служить в армии.

Такие организации, как «Всемирная инициатива за транс*
равенство» (Global Action for Trans* Equality), «Разделаем-
ся с трансфобией» (Wipe Out Transphobia) и Альянс геев
и лесбиянок против диффамации (GLAAD), поддерживают
транс-, интерсекс и гендерно-вариативных людей, выступая
за депатологизацию всех гендерных идентичностей, равные
юридические и институциональные права, за просвещение
и лучшую осведомленность о гендерном разнообразии.

Мисгендеринг — ситуация, когда людей называют местоимениями или определениями,
не соответствующими их гендерной идентичности.

Законы об общественных уборных — законо-
дательные нормы, определяющие доступ
к общественным туалетам на основе пола.
Законы, как правило, ограничивают доступ
трансгендеров к общественным пространствам
на основании приобретенной ими новой гендерной идентичности.

A   Фильм «Мандарин» исследует уличную транс-культуру.
Героини, две транс-женщины, которых сыграли
трансгендерные актеры, пытаются выжить на улицах
Лос-Анджелеса. Фильм был снят на iPhone 5s, премье-
ра состоялась в 2015 году на кинофестивале в Санден-
се. В последние годы освещение в медиа опыта транс-
людей стало более разнообразным, и эта тема всё
чаще привлекает внимание культурного мейнстрима.
B   Участники шоу «Дрэг-гонки Рупола: Все Звезды», про-
должения популярных «Дрэг-гонок Рупола» (RuPaul's
Drag Race), в котором дрэг-квин соревнуются за место
в Зале славы дрэг-гонок.

в

Современный активизм развивается и на индивидуальном уровне благодаря возрастающей роли социальных сетей и прочих видов интернет-активностей. Более того, любое проявление гендерной агентности понемногу меняет отношение к гендерному разнообразию, повышает принятие гендерной вариативности и побуждает отдельных людей или целые сообщества пересмотреть гендерные нормы, которые многие принимают как данность.

Насилие и дискриминацию нельзя оставлять без внимания, но в ряде областей активизм привел к положительным изменениям.

Во многих странах наметился постепенный отход от бинарной гендерной системы, признающей только мужчин и женщин. Согласно исследованию, проведенному в 2016 году Британским обществом Фосетта, 68 % молодых людей согласны с небинарной теорией гендера, а в США половина опрошенных молодых людей сообщили, что не воспринимают гендер как ограниченный только категориями мужского и женского.

A

Изменения в понимании и переживании гендера отражаются на повседневной речи. Молодежь всё чаще использует небинарные личные местоимения, такие как «они» и «их» при указании на единственное число, а термин «гендерфлюид» в 2016 году был внесён в Оксфордский словарь как определение человека с изменчивой гендерной идентичностью. Гендерно-нейтральные туалеты есть во многих британских университетах, а спикер палаты общин Джон Беркоу настаивает на появлении таких туалетов в Вестминстерском дворце.

Результаты активизма сказываются на СМИ и торговом секторе, а идея небинарного гендера получает всё большее распространение в культуре.

Гендерно-вариативные герои встречаются в популярной видеоигре «Sims», а транс-персонажи часто изображаются на телевидении и в кино. Facebook недавно добавил несколько гендерных «вариантов» для пользователей. Такие компании, как JW Anderson, Rick Owens, Zara и H&M, предлагают гендерно-нейтральную одежду. Бренд GFW (Gender Free World) создает рубашки трех форм для разных типов телосложения, а не для разных гендеров, а компания The Butch Clothing Company разрабатывает одежду для мужественных женщин.

Как отражение этих социокультурных изменений журнал *Time* провозгласил «переломный момент для трансгендеров» в 2014 году. А BBC News и CNN News объявили 2015 год «Годом трансгендера» в Великобритании и США.

В конце 2015 года газета *Financial Times* резюмировала: «Год в одном слове — Транс: гендерное обсуждение становится сложным, изменчивым, "небинарным" делом».

Год трансгендера послужил поводом для широких дискуссий о социальных изменениях и их влиянии на молодежь. Например, в Британии и США такие издания, как *The Guardian* и *Teen Vogue*, регулярно пишут о том, что поколение миллениалов — или поколение Y, — отрицает традиционные гендерные ярлыки и нормы.

Таким образом, можно сделать очевидный вывод, что традиционные гендерные идентичности и проявления сегодня ослабевают, особенно в молодежной среде и в первую очередь (но не исключительно) на Западе. Как следствие, вопросы равенства гендерно-вариативных людей вошли в политическую повестку многих стран, и за последние годы эффективность юридической защиты их прав значительно выросла.

A

A   Эмма Уотсон (слева) получает награду в номинации «Лучшая актерская работа» за роль в фильме «Красавица и чудовище» от небинарной актрисы Эйши Кейт Диллон («Миллиарды») на MTV Movie & TV Awards в Shrine Auditorium в Лос-Анджелесе, 2017 год. Церемония стала знаковой благодаря вручению наград в гендерно-нейтральных категориях.

B   Транс-женщина Венди Ириепа и гей Игнасио Эстрада едут после бракосочетания в ретро-автомобиле, размахивая радужным флагом гей-прайда, 13 августа 2011 года, Гавана, Куба. Операция по хирургической коррекции пола для Ириепы была оплачена правительством Кубы.

«Акт о гендерном признании» (2004) в Британии гарантирует трансгендерам право менять свидетельство о рождении и вступать в брак в новом гендерном статусе. Законы, признающие приобретенный гендер транс-личностей приняты в Германии, Дании, Ирландии, Испании, Италии, Нидерландах, Норвегии, Польше, Португалии, Румынии, Финляндии, Франции, Хорватии, Чехии и Швеции. За пределами Европы права трансгендеров признаны на законодательном уровне в Бангладеш, Бразилии, Вьетнаме, Канаде, Колумбии, Индии, Иране, Уругвае, Эквадоре, ЮАР и Японии. В 2012 году Аргентину признали самой дружелюбной по отношению к трансгендерам страной благодаря принятому там закону об официальной смене гендера, основанной на самоопределении человека, а не на медицинских или юридических заключениях. В ноябре 2017 года в Германии был узаконен третий пол как категория лиц, не относящих себя ни к мужчинам, ни женщинам (включая интерсекс).

В этих дискуссиях возникает важный вопрос о будущем гендера. Не движемся ли мы к миру без гендера?

Заключение

A

Основополагающие убеждения — это глубинные представления и суждения о самих себе, о других и о том, как устроен окружающий мир. Они часто находятся на уровне подсознания, из-за чего их бывает сложно распознать и изменить.

Вокруг гендера строятся некоторые наши основополагающие убеждения и фундаментальные структуры наших культур, что делает его одним из ключевых способов того, как мы категоризируем друг друга. Огромное количество социальных ролей и ожиданий опирается на гендер — от того, кому «следует» воспитывать детей или занимать лидерские позиции, до того, кому какую «следует» носить одежду, чем увлекаться и даже какие именно чувства испытывать.

Однако гендер не всегда служит прочным основанием для такой категоризации.

Будь то физиологические особенности, социальные роли или самоидентификация, каждый аспект гендера варьируется от общества к обществу, от человека к человеку или даже в одном человеке на протяжении времени.

В главе 1 мы рассмотрели биологический подход к изучению гендера, который разделяет категории мужского и женского как генетически предопределенные и, таким образом, неизменные. Но биологический пол не всегда бывает мужским или женским. К тому же гендер переживается нами в опыте и практиках, несводимых исключительно к биологическим различиям.

Гендер как социальный конструкт анализировался в главе 2, где на примерах разных эпох, регионов и обществ была показана изменчивость гендерных ролей. Связанные с гендером нормы и ценности создаются из множества переплетающихся факторов, таких как политика, экономика, религия, верования, класс, раса и этничность.

A Американский боксер-тяжеловес Мухаммед Али с дочерью Лэйлой на руках после победы в титульном бою против Леона Спинкса в 1978 году.

B Беременность не стала преградой для Алисии Монтано, ожидающей старта первого забега на 800 метров среди женщин, 2014 год, Чемпионат США по легкой атлетике, стадион Hornet, Сакраменто, Калифорния.

A

Индивидуальные способы создания гендера формируются в процессе гендерной социализации. Поэтому гендерные роли, которые мы ожидаем от других на основании их гендера, варьируются с течением времени или в зависимости от культуры или общества.

В главе 3 были подробно рассмотрены гендерновариативные практики и идентичности. Мы убедились, что гендерное разнообразие было всегда свойственно людям, хотя оно по-разному описывалось и воспринималось сквозь призму разных научных и социальных моделей, в зависимости от исторического и культурного контекста.

В главе 3 мы коснулись проблемы бинарной гендерной модели с точки зрения тех, кто определяет себя между или вне привычных категорий мужского и женского. В некоторых незападных странах гендерно-вариативные люди традиционно интегрированы в общество, в то время как в других только сейчас складывается понимание гендерного разнообразия и расширяются репрезентации и права гендерных идентичностей за пределами бинарной системы. Соответственно, у многих людей сегодня появляется всё больше возможностей гендерного проявления. Эти перемены в обществе подчеркивают тот факт, что гендер постоянно развивается.

Несмотря на значительные изменения в отношении к трансгендерам и их правового положения по всему миру, транс- и небинарные личности по-прежнему сталкиваются с трудностями.

Во многих странах еще нет законодательства для трансгендеров, а в тех, что есть, в большинстве случаев вопросы трансгендерности находятся в ведении психиатров. По всему миру трансгендерность остается формой патологии. Статистические показатели нанесения себе вреда и самоубийств среди трансгендеров — особенно молодежи — намного выше, чем среди цисгендеров. Дискриминация на рабочем месте повсеместна. Трансгендеры подвергаются притеснениям и насилию в семье и в обществе. Многие, в особенности небелые транс-женщины, становятся жертвами убийств, а преступники могут избежать наказания, используя «транс-панику» как стратегию защиты.

«Транс-паника» — способ защиты в суде, когда обвиняемый в преступлении (как правило, насильственном) заявляет, что потерял контроль в результате паники, вызванной трансгендерной идентичностью жертвы. К такой защите не раз прибегали в США, в том числе во время процесса, связанного с изнасилованием и убийством транс-мужчины Брендона Тины в 2003 году.

Как цисгендерные мужчины и женщины, так и транс- и небинарные лично-
сти могут сталкиваться с ограничениями из-за социальных ожиданий ис-
полняемых ими ролей. Мужчин часто видят сдержанными в эмоциях, от них
ждут финансового обеспечения семьи; им приходится сталкиваться, а порой
и прибегать к физическому насилию для поддержания социального статуса
или отказываться от участия в воспитании детей в пользу работы. Женщины
имеют дело с широким спектром проблем: высокий риск бедности, домогательства и сексуальное насилие, недостаточный уровень образования и медицинского обслуживания, нарушение репродуктивных прав, принудительный
брак, дискриминация на рабочем месте и гендерный разрыв в оплате труда.

Как показано в главе 4, гендерное неравенство
стало предметом феминистского движения,
движения за равноправие, за права мужчин
и транс-активизма в разных точках планеты.

Хотя гендер и выступает структуриру-
ющим механизмом, ограничивающим
жизнь женщин, мужчин и небинарных
людей, он также предоставляет возможности для проявления агентности,
которые отдельные люди или группы
используют, чтобы переопределить свои
гендерные практики, влияющие на представления о гендере.

Очевидно, что не все понимают гендер вариативным. Многие люди и по сей день настаивают на «врожденной» природе гендера. Но, сравнивая различные гендерные концепции и практики на протяжении человеческой истории и в наши дни, мы отчетливо видим непостоянное свойство гендера. Более того, расхождение между традиционными гендерными социальными ролями и повседневным гендерным опытом приводит к системной несправедливости по отношению к трансгендерам, цисгендерам и гендерно-вариативным людям, что ограничивает личный и общественный потенциал.

Наш мир далек от гендерной нейтральности, но шаги в сторону гендерной изменчивости заслуживают поощрения, поскольку несут больше возможностей для каждого из нас.

Сторонники равноправия (эгалитаристы) верят в равенство и одинаковую ценность людей, считают, что общество должно принимать каждого человека независимо от гендера, сексуальности, расы, религии, состояния здоровья, классовой или политической принадлежности.

Системная несправедливость — это несправедливость, заложенная в конкретной социальной, экономической или политической системе, которая автоматически воспроизводится этой системой.

Источники иллюстраций

Предприняв все усилия, чтобы найти и упомянуть правообладателей фотоматериалов, использованных в этой книге, автор и издатель приносят извинения за любые упущения или ошибки, которые будут по возможности исправлены в следующих изданиях.

в — вверху, н — внизу, ц — в центре, л — слева, п — справа

2 Микола Гавлюк / 123RF

4–5 Фото Сары Д. Дэвис / Getty Images

6–7 Фото Ивана Коэна / LightRocket via Getty Images

8 Фото предоставлено The Advertising Archives

9 Фото Роберта ван дер Хильста / Photonica World via Getty Images

10 Публикуется с разрешения Вооруженных сил Израиля

11 Фото Тима Хантера / Newspix; © News Corp Australia

12 Публикуется с разрешения Попечительского совета Британского музея, Лондон

13л, 13п Институт костюма / Музей Метрополитен, Нью-Йорк (фототека моды; дар Вудмана Томпсона)

14 Teesside Archive; © Mirrorpix

15л, 15п Частное собрание / Bridgeman Images

16л Chase & Sanborn

16п Фото Эли Резкалла / Plastik Studios, 2018

17л Del Monte

17п Фото Эли Резкалла / Plastik Studios, 2018

18–19 Фото Лэмберта / Getty Images

20 Фото Images Of Our Lives / Getty Images

21 Фото Джина Лестера / Getty Images

22, 23 Science Photo Library

24 Билл Бахман / Alamy Stock Photo

25л Кейт Сафрански / i-stockphoto.com

25п Джордж Гролл / National Geographic Creative

26 Heritage Auctions; фото © Tom Kelley Studios

27 Терри Логан / Rex / Shutterstock

28 Фото Вероник Даррати / Gamma-Rapho via Getty Images

29 Найджел Диккинсон

30, 31, 32л Собрание Веллком, Лондон

32п Медицинская библиотека Каунтвея / Гарвардская школа медицины / Гарвардский музей науки и культуры

33л, 33п Собрание Веллком, Лондон

34 Музей и художественная галерея, Дерби

35 Вилла-музей Фрагонара, Грас (дар Габриэля Коняка, инв. № 2010.0.371)

36л Национальная портретная галерея, Лондон (инв. № NPG 6937)

36п Национальная портретная галерея, Лондон (по завещанию Джейн, леди Шелли, 1899; инв. № NPG 1237)

37 Британская библиотека, Лондон

38в, 38н Изображения предоставлены Райаном Мэтью Коном

39л Музей Метрополитен, Нью-Йорк (по завещанию Роберта Шапазяна, 2010; инв. № 2010.457.1)

39п Лувр, Париж; Фото RMN — Grand Palais (Музей Орсе) / image RMN-GP

40л Фото Роже-Виолле / Getty Images

40п Фото Рассела / Getty Images

41л Архив Гомера Сайкса / Alamy Stock Photo

41п Архив исторических изображений Грейнджера / Alamy Stock Photo

42л, 42п, 43 Изображения предоставлены The Advertising Archives

44, 45 © Linda Simpson

46–47 Библиотека Конгресса США, Вашингтон (отдел эстампов и фотографий)

48 Ричард Б. Левин / Alamy Stock Photo

49в, 49н Monday, Бангкок, Таиланд

50, 51 Фото DEA / Дж. Дальи Орти / De Agostini / Getty Images

52л Музей Метрополитен, Нью-Йорк (дар Норберта Шиммела, 1986; инв. № 1986.322.1)

52п Государственные музеи Берлина, Античное собрание (инв. № F2289)

53л Публикуется с разрешения Попечительского совета Британского музея, Лондон

53п Государственные музеи Берлина, Античное собрание (инв. № F2289)

54 Вилла Романа дель Казале, Пьяцца-Армерина (Сицилия)

55 Библиотека Бодли, Оксфорд; собрание манускриптов Средневековья и Ренессанса (инв. № MS.Arch.Selden.A.1)

56 Частное собрание / Собрание Стэплтона / Bridgeman Images

57 Национальный Архив Великобритании

58, 59л, 59п Частное собрание

60 Фото Т. Энами

61 Фото Topical Press Agency / Getty Images

62 Сюнсай Тосимаса, 1887

63 Частное собрание

64 Собрание Веллком, Лондон

66, 67 Чжон Ми Юн

68 The Sun / News Licensing

69л Кристина Уэбб / Alamy Stock Photo

69п Гэри Вин Уильямс / Alamy Stock Photo

Указатель

Автор хотела бы поблагодарить редакцию Thames & Hudson
за энтузиазм в работе над этим проектом. Особая благодар-
ность — и любовь — Гилу Джексону-Хайнсу, мастеру дебатов.

УДК 316.346.2:159.922.1
ББК 60.542.2+88.323
    Х15

Данное издание осуществлено в рамках
совместной издательской программы
Ad Marginem и ABCdesign

Салли Хайнс
Может ли гендер меняться?

Перевод — Маргарита Исламгулова, Мастерская
литературного перевода Д. Симановского
Редактор — Александр Кондаков
Корректор — Людмила Самойлова
Выпускающий редактор — Елена Бондал
Адаптация макета — ABCdesign

Хайнс, Салли.
Х15   Может ли гендер меняться? / Салли Хайнс. — М. :
        Ад Маргинем Пресс, ABCdesign, 2019. — 144 с. : ил. —
        (The Big Idea).

        ISBN 978-5-91103-483-2
        ISBN 978-5-4330-0124-4

По вопросам оптовой закупки
книг издательского проекта «А+А»
обращайтесь по телефону:
+7 (499) 763 3227, или пишите:
sales@admarginem.ru

ООО «Ад Маргинем Пресс»
Резидент ЦТИ ФАБРИКА
Переведеновский пер., д. 18,
Москва, 105082
тел.: +7 (499) 763 3595
info@admarginem.ru

ООО «АВСдизайн»,
ул. Малая Дмитровка, д. 24/2
Москва, 127006
тел.: +7 (495) 694 6293
contactme@abcdesign.ru

Printed and bound in Slovenia by
DZS-Grafik d.o.o.